CW00545334

Module 1

page 2

1 ¿Cómo te llamas?

1 **1** *tal*
   2 llamas, llamo
   3 vives
   4 luego
2 Own answers
3 Own answers

page 3

2 ¿Qué tipo de persona eres?

   1 generosa
   2 sincero
   3 tímido
   4 simpática
   5 divertido
2 **1** V
   2 S
   3 S
   4 V
   5 V
   6 S
   7 S
3 Own answers

page 4

3 ¿Tienes hermanos?

1 **1** *tienes*
   2 Tengo
   3 ¿Tienes
   4 tengo
   5 tiene
   6 tiene
2 **1** hermanos
   2 hermana
   3 hermano
   4 hermanas
   5 hermanastras
3 **1** two, a brother and a sister
   2 Mónica
   3 She's an actress.

   4 her brot...
   5 He's a si...

page 5

4 ¿Cuándo es tu cumpleaños?

1 **1** Me llamo Sergio y vivo en Buenos Aires.
   2 Mi cumpleaños es el diecinueve de enero.
   3 Tengo quince años.
   4 Me llamo Claudia y vivo en Bogotá.
   5 Tengo catorce años.
   6 Mi cumpleaños es el treinta y uno de agosto.
2 **1** *Me llamo Irene. Tengo 18 años. Mi cumpleaños es el veinticinco de marzo.*
   2 Me llamo Jaime. Tengo 13 años. Mi cumpleaños es el treinta y uno de diciembre.
   3 Me llamo Victoria. Tengo 12 años. Mi cumpleaños es el veintiuno de julio.
   4 Me llamo José. Tengo 15 años. Mi cumpleaños es el veintisiete de septiembre.

page 6

5 ¿Tienes mascotas?

1 **1** *Tengo dos gatos. No son tranquilos.*
   2 *Tengo un perro. Es simpático.*
   3 Tengo dos peces. Son un poco tontos.
   4 Tengo un ratón. Es muy divertido.
   5 Tengo una tortuga. Es bastante tímida.
   6 Tengo dos cobayas. Son muy listas.
   7 Tengo una serpiente. Es muy simpática.
2 **1** *her cat*
   2 Piti and Pancho, her dogs
   3 her horse, Pere
   4 her horse
   5 her rabbit, Bugs

page 7
Skills: Cómo soy

1 1 *S*
  2 J
  3 J
  4 S
  5 J
  6 S
  7 J
  8 S
  9 J
  10 S
  11 S
  12 J

2 Own answers

page 8
Repaso 1

1 1 *siete*
  2 diez
  3 veinticinco
  4 veintinueve
  5 diecisiete
  6 trece

2 1 Bien, gracias.
  2 Me llamo Claudia.
  3 Vivo en Valencia.
  4 Tengo catorce años.
  5 Soy sincera y simpática.
  6 Mi cumpleaños es el uno de marzo.
  7 Hasta luego.

3 Own answers

page 9
Repaso 2

1 1 *hermano*
  2 listo
  3 hermanastra
  4 simpática.
  5 hermanos.
  6 mascotas.
  7 blanco

8 divertidos / tontos
9 divertidos / tontos.

2 1 *Alexa Vega, an actress*
  2 cinema, film
  3 Colombia
  4 24
  5 six in total: two sisters, two stepsisters and two stepbrothers
  6 Yes, she gets on well with her brothers and sisters. She says: "They're all great!"
  7 They're her stepbrothers.
  8 Music and sport.

page 10
Gramática

1 1 *llamas*
  2 vives
  3 tienes?
  4 eres?
  5 Tienes
  6 es
  7 Tienes
  Own anwers.

2 1 *Me llamo*, Tengo
  2 tiene, vive
  3 es. Habla
  4 vive
  5 tiene, se llama

3 1 ¡Hola! Me llamo Sofía. Vivo en Barcelona y tengo 13 (trece) años.
  2 Mi cumpleaños es el 21 (veintiuno) de abril.
  3 ¿Dónde vive tu hermanastro?
  4 Mi hermana tiene un gato negro que se llama Negrito.
  5 Es muy divertido y un poco tonto.

RESPUESTAS!

Module 2

page 14

1 ¿Qué te gusta hacer?

1 **1** escribir, b
  2 ver, f
  3 salir, d
  4 escuchar, e
  5 jugar, c
  6 leer, a
2 **1** Me gusta leer porque es interesante. c
  2 No me gusta navegar por Internet porque no es interesante. b
  3 Me gusta mucho salir con mis amigos porque es muy divertido. a
  4 No me gusta nada chatear porque es muy aburrido. d
3 Own answers

page 15

2 ¿Cantas karaoke?

1 **a** 2
  b 3
  c 1
  d 4
2 **1** *hablo, Macarena*
  2 toco, Javier
  3 monto, Laura
  4 Toco, canto, Laura
  5 navego, Macarena
  6 gusta, Javier
3 Own answers

page 16

3 ¿Qué haces cuando llueve?

1 **1** *En San Sebastián llueve y* hace frío.
  2 *En Barcelona* hace sol y hace frio.
  3 En Madrid nieva y hace mucho frío.
  4 En Málaga hace sol y hace calor.
  5 En Valencia hace buen tiempo.
  6 En La Coruña llueve y hace frío.

2 **1** Veracruz
  2 San José
  3 Pirineos
  4 Veracruz
  5 Pirineos
  6 San José
  7 Veracruz
  8 Pirineos
  9 Veracruz
  10 Pirineos
3 Own answers

page 17

4 ¿Qué deportes haces?

1 **1** *juegan*
  2 hace
  3 hacen
  4 hacen
  5 juega
2 Thursdays
3 **1** *b*
  2 d
  3 a
  4 c
Students write own answers to questions.

page 18

Skills: ¿Eres fanático?

1 **1** Me llamo Fernando y vivo, e
  2 Soy una persona bastante, f
  3 Juego al baloncesto y, d
  4 Mis héroes son, c
  5 En mi tiempo libre me gusta, g
  6 Nunca hace frío en Cartagena, b
  7 Cuando llueve escucho, a
2 **1** Soy una persona bastante positiva y abierta.
  2 También soy bastante deportista.
  3 Hago artes marciales.
  4 Es un deportista estupendo.
  5 Es el invierno para nosotros.

3 1 Julia lives in Santiago, the capital of Argentina. *Chile*

2 She plays football. tennis

3 She surfs the internet because it's very useful. interesting

4 She sometimes plays the guitar. every day

page 19
Repaso 1

1 1 juego, **2** hago, **3** hago, **4** juego, **5** juego

2 1 He plays tennis and goes swimming

2 He rides his bike

3 He does athletics.

4 He plays rugby and he sometimes plays football.

5 He doesn't enjoy playing football.

6 He prefers to watch sport on TV.

3 Own answers

page 20
Repaso 2

1 1 He's from Barcelona, Spain.

2 He lives in California.

3 He speaks Catalan, Spanish and English.

4 His birthday is 6th July.

5 He's friendly, generous and positive.

6 He likes reading and he also likes classical music and opera.

7 He's got two brothers, Marc and Adrià, who play basketball too.

2 1 *dónde, Soy de Barcelona en España.*

2 ¿Dónde, Vivo en California.

3 ¿Qué, Juego al baloncesto.

4 ¿Qué, Hablo catalán, español e inglés. OR ¿Cuántos, Hablo tres idiomas.

5 ¿Cuándo, Mi cumpleaños es el 6 de julio.

6 ¿Cuántos, Tengo 32 (treinta y dos) años.

7 ¿Qué, Me gusta leer y me gusta la música clásica y la ópera.

8 ¿Cuántos, Tengo dos hermanos.

9 ¿Cómo, Mis hermanos se llaman Marc y Adrià.

10 ¿Qué, Juegan al baloncesto.

page 21
Gramática

1

hablar	hacer	vivir	jugar
hablo	hago	viv**o**	juego
habl**as**	hac**es**	vives	jueg**as**
habl**a**	hace	viv**e**	juega
habl**amos**	hacemos	vivimos	jugamos
habláis	hacéis	vivís	jugáis
habl**an**	hac**en**	viv**en**	jueg**an**

2 1 *vives*

2 Vivo

3 tengo

4 viven

5 Viven

6 Hablamos

7 hacer

8 Juego

9 hago

10 juegan

11 Juegan

12 hacen

3 1 *escuchar, canto*

2 jugar, navego

3 Juego, hacer

4 hace, leer, ver

5 hacer, hace

Module 3

page 25

1 ¿Qué estudias?

1

lunes	martes	miércoles	jueves	viernes
dibujo	**inglés**	educación física	música	francés
recreo				
español	religión	geografía	**historia**	inglés
tecnología	**informática**	matemáticas	**ciencias**	**teatro**
hora de comer				
matemáticas	francés	**ciencias**	español	dibujo
educación física	dibujo	**música**	religión	geografía
historia	tecnología	informática	teatro	matemáticas

2 1 c, **2** e, **3** d, **4** a, **5** b

3 Own answers

page 26

2 ¿Te gustan las ciencias?

1

	Spanish	maths	PE	science	history
Felipe	😊😊😊	🙁🙁	😊	🙁	😊😊
Aurora	🙁🙁	😊😊😊	🙁🙁	😊	😊😊

2 1 *interesting*

   2 useful

   3 doesn't like it because not easy

   4 practical but boring

   5 teacher is fun

   6 teacher is strict and not patient

3 Own answers

page 27

3 ¿Qué hay en tu insti?

1 1 bonito, **2** grande, **3** antiguos, **4** pequeña, **5** moderno, **6** feo

¡RESPUESTAS!

2 1 *una biblioteca*
    2 una clase de informática
    3 un laboratorio
    4 un campo de fútbol
    5 piscina
    6 un patio
    7 un comedor
    8 un gimnasio
3 Own answers

page 28
4 Durante el recreo
1 Marisa, Juan
2 Own answers
3 Own answers

page 29
Skills: ¿Cómo es tu insti?
1 **1** tabletas
    2 no es necesario
    3 usamos
    4 hay pocos
    5 asignatura
    6 laboratorio de idiomas
    7 pistas de tenis
2 Answers might include the following:
    1 connectives: porque, y, ni, también
    2 adjectives: muchas, pocos, moderna, favorita, interesante, fácil, mucho, estupendo
    3 verbs in first person: escribo, escucho, veo
    4 verbs in first person plural: estudiamos, usamos, escuchamos, vamos
3 Own answers

page 30
Repaso 1
1 **6** laboratorios
    7 nada
    8 gusta
    9 tarde

    1 interesante
    2 estudio
    3 miércoles
    4 favorito
    5 ciencias
2 **1** Los lunes por la mañana estudiamos español.
    2 Me encanta la informática porque es útil.
    3 En mi instituto no hay campo de fútbol.
    4 Mi día favorito es el viernes.
    5 Durante el recreo como algo.
    6 A veces bebo un refresco.

page 31
Repaso 2
1 **1** d, **2** g, **3** c, **4** a, **5** b, **6** i, **7** e, **8** h, **9** f
2 **1** *big and modern*
    2 two pretty playgrounds
    3 The science labs are a bit old.
    4 PE in the gym and on the football ground
    5 basketball courts but no swimming pool
    6 a bit ugly
    7 Monday, because he has art
    8 Spanish teacher, she is very friendly
    9 library because it's quiet
3 Own answers

page 32
Gramática
1 **1** gusta, **2** gusta, **3** gustan, **4** gustan, **5** gusta, **6** gusta, **7** gustan, **8** gusta
2 **1** divertida, **2** fáciles, **3** interesantes, **4** útil, **5** simpáticos, **6** moderna
3 **1** haces, **2** bebe, **3** escriben, **4** leemos, **5** hablo, **6** coméis

¡Viva! 1 © Pearson Education Limited 2013

Module 4

page 36

1 ¿Cuántas personas hay en tu familia?

1 11, 6, 5, 9, 8, 3, 1, 4, 10, 7, 2

2 **1** abuela, **2** tío, **3** madre, **4** prima,
5 mi hermano menor

3 Own answers

page 37

2 ¿De qué color tienes los ojos?

1 **1** d, **2** a, **3** c, **4** e, **5** b

2 Own answers

3 Own answers

page 38

3 ¿Cómo es?

1 **1** d, **2** a, **3** d, **4** a, **5** c, **6** b, **7** d, **8** d, **9** c, **10** b

2 1

3 Own answers

page 39

4 ¿Cómo es tu casa o tu piso?

1 **1** Adrián, **2** Ahmed

2 Own answers

page 40

Skills: El carnaval en familia

1 **1** fiestas, **2** baile, **3** toros, **4** calles,
5 corridas de toros

2 **Answers might include the following**

1 fiestas, orígenes, religión, agricultura,
pesca, baile, trajes, comida, alegría,
toros, calles, feria, flamenco, corridas,
vestidos, gente

2 incluyen, empieza, corren, baila

3 típicos, peligroso, bravos, fuertes,
estrechas, tradicionales

3 **1** festivals, **2** through the streets,
3 they dance

page 41

Repaso 1

1 **1** Mi abuela tiene setenta años.

2 Hay cuatro personas en mi familia.

3 Mi hermano se llama Roberto.

4 Vivo en una casa.

5 Tengo los ojos azules.

6 Mi padre es bastante alto.

7 Mi madre tiene el pelo largo y liso.

8 Mi casa está en la ciudad.

2 Own answers

page 42

Repaso 2

1 **1** ¿Cómo eres?

2 ¿Cómo es tu familia?

3 ¿Cómo es tu casa?

2 **1** Rafa's birthday is in June.

2 His sister is called María Isabel. / His
girlfriend is called Xisca.

3 His uncle is his coach.

4 Rafa's main house is in Mallorca. /
Rafa's other house is in the
Dominican Republic.

5 His main house is on the coast.

3 **1** campeón

2 fuerte

3 cocinar

4 novia

5 entrenador

6 para mí

7 estar solo

8 principalmente

page 43

Gramática

1 **1** Mi, **2** tu, **3** Sus, **4** Mis, **5** tus, **6** Su

2 tienes, tiene, soy, sois, son, estás, está,
estamos

3 **1** tiene, **2** está, **3** tienen, **4** somos,
5 tienes, **6** están, **7** tenemos, **8** tienen

Module 5

page 47

1 ¿Qué hay en tu ciudad?

1 **1** Turégano, **2** Carmona, **3** Salamanca

2 Own answers

page 48

2 ¿Qué haces en la ciudad?

1 **1** *Es la una y cuarto.*

2 Son las diez y veinticinco.

3 Son las once menos veinte.

4 Son las dos y media.

5 Son las nueve y cinco.

6 Son las seis menos diez.

2 **a** 9.00, **b** 11.30, **c** *2.20*, **d** 4.00, **e** 4.20, **f** 5.30, **g** 7.00, **h** 8.35

3 Own answers

page 51

Skills: Mi vida en La Habana

1 **a** 4, **b** 6, **c** 2, **d** *1*, **e** 5, **f** 3

page 49

3 En la cafetería

1 **1** *un té*

2 un *euro* noventa y cinco

3 un granizado de limón

4 gambas

5 seis *euros* treinta

6 croquetas

7 tres *euros* quince

8 dos *euros* cuarenta y cinco

2 2, **11**, **8**, *1*, **10**, **6**, 3, **5**, **7**, **9**, **4**

3 Own answers

page 50

4 ¿Qué vas a hacer?

1 **1** este fin de semana

2 normalmente

3 este fin de semana

4 normalmente

5 normalmente

6 este fin de semana

7 este fin de semana

8 normalmente

9 este fin de semana

10 normalmente

2 Own answers

2

	normally		this weekend		
	on Saturdays	on Sundays	when?	what?	where?
Jorge	plays football, rides his bike, goes out with friends, they go bowling or swimming	does homework, listens to music, watches TV	on Sunday	going to a football match	at the stadium
Catarina	chats with her friends, surfs the Internet, listens to music	sings in a choir, has lunch at home, watches TV	on Saturday	her sister's birthday, going out for tapas with her family	at a restaurant

3 Own answers

¡Viva! 1 © Pearson Education Limited 2013

RESPUESTAS!

page 52
Repaso 1

1 **1** patatas
  2 calamares
  3 pan
  4 limón
  5 batido
  6 fresa
2 **g** 1, **b** 2, **e** 3, **f** 4, **c** 5, **d** 6, **a** 7
3 **1** está
  2 hace
  3 ir
  4 tiene
  5 vivir

page 53
Repaso 2

1 **1** M
  2 M & E
  3 E
  4 E
  5 M
  6 M

2

	usually (present tense)	this weekend (immediate future)
Martín	*goes swimming*, plays volleyball, goes out with friends, goes to the beach, goes to park, goes to the cinema	he's going to Sevilla to see a football match between Huelva and Betis
Elisa	listens to music, plays the guitar, goes out with friends, they go to the sports centre, to the park or to the beach	she's going to a village in the country with her family, they're going to camp, go cycling and go horse riding

  3 Own answers

page 54
Gramática

1 **1** *muchas*, **2** muchos, **3** un, **4** un, **5** muchas, **6** muchos, **7** unas, **8** unos, **9** un
2 **1** *vas*, **2** voy, **3** voy, **4** voy, **5** vais, **6** Vamos, **7** Vais, **8** Vamos, **9** van

¿Cómo te llamas? (pages 8–9)

MODULE 1

1 Complete the conversation with the words from the box.

1

¡Hola! ¿Qué _tal?_

Bien, gracias.

| luego |
| llamo |
| vives |
| ~~tal~~ |
| llamas |

2

¿Cómo te .... ?

Me .... Alicia.

3

¿Dónde .... ?

Vivo en Gerona.

4

Adiós.

Hasta ....

2 Write your own answers to the questions in exercise 1.

....

....

....

3 Use the phrases in exercise 1 to write a dialogue with one of the following well-known Spanish speakers.

| Lionel Messi | Fernando Torres | Shakira |
| Barcelona | Londres | Colombia |

¡Hola! ¿Qué tal?   ....

....

....

....

¿Qué tipo de persona eres? (pages 10-11)

1 Complete the sentences with the correct adjectives.

> divertido/divertida
> generoso/generosa
> simpático/simpática
> sincero/sincera
> tímido/tímida

1 ¡Hola! Me llamo Andrea. Soy seria y

....

(generous)

2 Me llamo Daniel. Vivo en Sevilla. Soy listo y

....

(sincere)

4 ¡Hola! Soy Claudia. Soy de México. Soy

....

(nice)

3 Me llamo Antonio. Soy

....

(shy)

5 Me llamo Miguel. Soy generoso y

....

(amusing)

2 Read the texts and write V (for Verónica) or S (for Santiago) for each of the English sentences.

> ¡Hola! ¿Qué tal? Me llamo Verónica. Soy una persona tranquila y sincera. Mi pasión es el deporte y mi héroe es Lionel Messi. ¡El fútbol es genial!

> Me llamo Santiago. Vivo en Barcelona. ¿Cómo soy de carácter? Pues, soy simpático y divertido. No soy tímido. Mi pasión es la música.

Who...

1 is a sports fan? ☐

2 is friendly and fun? ☐

3 isn't shy? ☐

4 thinks football is great? ☐

5 is calm and sincere? ☐

6 lives in Barcelona? ☐

7 loves music? ☐

3 Write five sentences about yourself, using the texts in Exercise 2 as a model.

....

....

....

....

....

¡3! ¿Tienes hermanos? (pages 12–13)

1 Complete the conversation with the correct parts of the verb *tener*.

1 ¿Cuántos años **tienes**?

2 .... catorce años.

3 ¿.............. hermanos?

4 ¿Sí, ... una hermana.

5 ¿Cuántos años .... tu hermana?

6 Mi hermana .... nueve años.

Gramática

tener	to have
tengo	I have
tienes	you have
tiene	he, she, it has

mi	my
tu	your

2 Complete the sentences with the correct words.

1 "No tengo .... Soy hijo único." **Harry Potter**

2 "Mi .... se llama Venus." **Serena Williams**

3 "Mi .... se llama William." **Prince Harry**

4 "Tengo dos ...." **Bart Simpson**

5 "Tengo dos .... No son simpáticas." **Cinderella**

> **hermano/hermana   hermanos/hermanas   hermanastros/hermanastras**

3 Read the interview with the Spanish actress, Penélope Cruz, and answer the questions on a separate sheet.

Q: ¡Hola, Penélope! ¿Cómo estás?
A: Muy bien, gracias.
Q: ¿Eres hija única?
A: No, tengo dos hermanos.
Q: ¿De verdad?
A: Sí, mi hermana se llama Mónica. Es simpática y es actriz.
Q: ¿Y tu hermano?
A: Mi hermano se llama Eduardo.
Q: ¿Es actor?
A: No, Eduardo es cantante.

1 How many brothers and sisters has Penélope Cruz got?

2 What is her sister's name?

3 What does her sister do?

4 Who is Eduardo?

5 What does he do?

se llama	she / he is called
la actriz	actress
el actor	actor
el / la cantante	singer

¿Cuándo es tu cumpleaños? (pages 14–15)

1 **Unjumble and write out each sentence.**

1 llamo Me Sergio y en vivo Buenos Aires ....

2 cumpleaños el diecinueve enero es de Mi ....

3 años quince Tengo ....

4 en vivo Bogotá y Me llamo Claudia ....

5 catorce Tengo años ....

6 treinta y uno agosto de el cumpleaños Mi es ....

2 **Follow the lines to match each person to their age and birthday. Then write their answers to the following questions:**

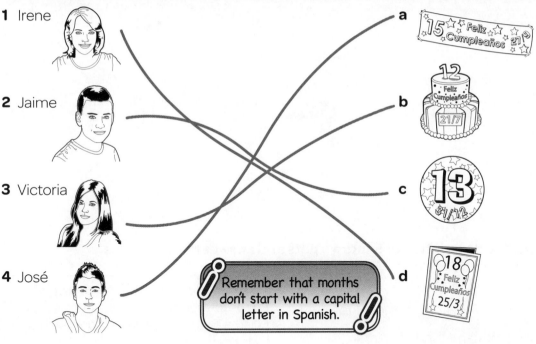

¿Cómo te llamas?   ¿Cuántos años tienes?   ¿Cuándo es tu cumpleaños?

1 Irene

2 Jaime

3 Victoria

4 José

Remember that months don't start with a capital letter in Spanish.

1 Me llamo .... Tengo .... años. Mi cumpleaños es el veinticinco de marzo.

2 ....

....

3 ....

....

4 ....

....

1 Use the descriptions to write two sentences for each of the pet owners in the picture.

> Remember:
>
> | | singular | plural |
> |---|---|---|
> | ending in vowel: | **un perro** | **dos perros** |
> | ending in consonant: | **un animal** | **dos animales** |

> Es muy divertido.
> Es bastante tímida.
> Es simpático.
> Es muy simpática.
> Son un poco tontos.
> Son muy listas.
> ~~No son tranquilos.~~

1 Tengo dos gatos. No son tranquilos.

2 Tengo ....

3 ....

....

4 ....

....

5 ....

....

6 ....

....

7 ....

....

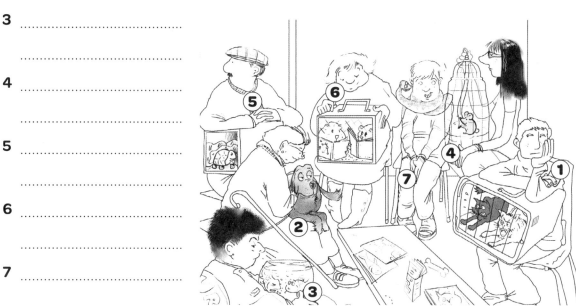

2 Read the description of Sandra's pets and answer the questions.

Which of Sandra's pets...

1 is called Tiger? _____her cat_____

2 are the same kind of animal?

....

3 is almost completely black?

....

4 isn't calm? ....

5 is very clever? ....

> ¡Hola! Me llamo Sandra. Tengo muchas mascotas. Tengo un gato muy tonto que se llama Tigre. Es negro y marrón. También tengo dos perros que se llaman Piti y Pancho. Son muy divertidos. Son blancos y negros. Tengo un caballo genial que se llama Pere. Es negro pero tiene una pata blanca. Es listo pero no es tranquilo. Y tengo un conejo blanco que se llama Bugs. Es enorme y es muy inteligente.

> **una pata**   foot, leg or paw of an animal

¡SKILLS! Cómo soy (pages 18–19)

Nombre	Javier	Sofía
Ciudad y país	Santiago, Chile	Bogotá, Colombia
Edad	13	12
Cumpleaños	1/7	23/11
Carácter	simpático, divertido	simpática, tranquila
Hermanos/hermanas	un hermano, Sergio	–
Mascotas	un perro, Víctor	dos conejos
Color favorito	el azul	el rojo
Cantante favorito/favorita	Lana Del Rey	Shakira
Programa favorito	La Noche Del Fútbol	Idol
Pasiones	el fútbol, el rugby, el atletismo	la música

1 Read the information in the chart and write J (for Javier) or S (for Sofía) after each sentence.

1 Vivo en Bogotá, en Colombia. `S`

2 Tengo trece años. ☐

3 Mi cumpleaños es el uno de julio. ☐

4 Soy simpática. También soy una persona bastante tranquila. ☐

5 Tengo un hermano que se llama Sergio. ☐

6 No tengo hermanos. Soy hija única. ☐

7 Tengo un perro que se llama Víctor. Es bastante listo y también es muy divertido. ☐

8 Tengo dos conejos. Son muy simpáticos pero son un poco tontos. ☐

9 Mi color favorito es el azul. ☐

10 Mi programa favorito es Idol. ☐

11 Mi cantante favorita es Shakira. Es de Colombia. ☐

12 Mi pasión es el deporte. ☐

2 On a separate sheet, write Sofía's personal profile.

Name, city, country, age	Me llamo...
Character	Soy...
Family & pets	Tengo / No tengo...
Favourites (2 things)	Mi color favorito es el...
Finish with an opinion	En mi opinión ... es genial.

SKILLS

Include some connectives and intensifiers in the profile to make the sentences informative and expressive.

y and
pero but
también too, also

bastante quite
muy very
un poco a bit

No tengo hermanos **pero** tengo dos conejos.
Son **muy** simpáticos pero son **un poco** tontos.

¡REPASO 1!

1 Write the missing number in each series.

1 uno	tres	cinco	<u>siete</u>
2 seis	ocho	....	doce
3 quince	veinte	....	treinta
4 treinta y uno	treinta	....	veintiocho
5 dieciséis	....	dieciocho	diecinueve
6	doce	once	diez

2 Unjumble the words in each sentence and then write the sentences to complete the conversation below.

> luego Hasta

> gracias. Bien,

> Claudia. llamo Me

> y simpática. Soy sincera

> catorce Tengo años.

> en Vivo Valencia.

> cumpleaños es Mi el marzo. uno de

1 ¡Hola! ¿Qué tal? ....

2 ¿Cómo te llamas? ....

3 ¿Dónde vives? ....

4 ¿Cuántos años tienes? ....

5 ¿Qué tipo de persona eres? ....

6 ¿Cuándo es tu cumpleaños? ....

7 Adiós. ....

3 On a separate sheet, write your own answers to questions 2–6 above (exercise 2).

¡Viva! 1 © Pearson Education Limited 2013

¡REPASO 2!

1 Complete the descriptions.

> blanco divertidos hermanastra ~~hermano~~
> hermanos mascotas simpática tontos listo

Tengo un **1** <u>hermano</u> que se llama Matt. Matt tiene cuatro años. Es **2** .... y divertido y es bastante tranquilo. También tengo una **3** .... que se llama Lucy. Lucy tiene dieciséis años. Es muy **4** ....

No tengo **5** .... Soy hija única pero tengo dos **6** .... Tengo un perro negro que se llama Sooty y un gato **7** .... que se llama Snowy. Sooty y Snowy son muy **8** .... y bastante **9** .... ¡Son geniales!

2 Read the interview and answer the questions.

1 What is the name and profession of the person being interviewed?
<u>Alexa Vega, an actress.</u>

2 What do you think the word 'cine' means?
....

3 Which country in South America is her father from?
....

4 How old is the actress?
....

5 How many brothers and sisters has she got?
....

6 Does she get on with her brothers and sisters? How do you know?
....
....

7 Who are Jet and Cruz?
....

8 What <u>two</u> things are very important in the actress's life?
....

Q: ¡Hola! ¿Cómo te llamas?

A: ¡Hola! Me llamo Alexa, Alexa Vega.

Q: Eres actriz, ¿verdad?

A: Sí, soy actriz de cine y de televisión.

Q: ¿Dónde vives?

A: Vivo en California pero mi padre es de Colombia.

Q: ¿Cuántos años tienes?

A: Tengo veinticuatro años.

Q: ¿Cuándo es tu cumpleaños?

A: Es el veintisiete de agosto.

Q: ¿Tienes hermanos?

A: Sí, tengo dos hermanas que se llaman Krizie y Makenzie. Tengo dos hermanastras que se llaman Margaux y Greylin. Y también tengo dos hermanastros que se llaman Jet y Cruz.

Q: ¡Muchos hermanos!

A: Sí, sí, y son todos estupendos.

Q: La música es importante en tu vida, ¿verdad?

A: Sí, muy importante. La música es una pasión para mí, y el deporte también.

Q: ¿Cuál es tu deporte favorito?

A: La gimnasia. ¡Es genial!

¡GRAMÁTICA! (pages 22–23)

1 Here are some questions to ask a friend. Complete them with the correct verb form. Then write your own answers in Spanish.

1 ¿Cómo te **llamas**? (What's your name?)

....

2 ¿Dónde .... ? (Where do you live?)

....

3 ¿Cuántos años .... ? (How old are you?)

....

4 ¿.......................... hermanos? (Have you got any brothers or sisters?)

....

5 ¿Cuándo .... tu cumpleaños? (When's your birthday?)

....

6 ¿.......................... mascotas? (Have you got pets?)

....

2 Complete the sentences with the correct part of the verbs in brackets.

1 **Me llamo** Pablo. .... trece años.   **(llamarse, tener)**

2 Mi hermanastro .... veintitrés años y ....
en Londres.   **(tener, vivir)**

3 Penélope Cruz .... actriz. .... inglés y español. **(ser, hablar)**

4 Lionel Messi es de Argentina pero .... en Barcelona.   **(vivir)**

5 Pau Gasol .... un hermano que .... Marc. **(tener, llamarse)**

3 On a separate sheet, write these sentences in Spanish.

1 Hi! My name's Sofía, I live in Barcelona and I'm thirteen years old.

2 My birthday's April 21st.

3 Where does your stepbrother live?

4 My sister has got a black cat that's called Negrito.

5 He's very funny and a bit silly.

¡Viva! 1 © Pearson Education Limited 2013

1 Record your steps for Module 1.

2 Look at the step descriptors on pages 58–59 and set your targets for Module 2.

3 Fill in what you need to do to achieve these targets.

Listening	I have reached _____ Step in **Listening**.
	In Module 2, I want to reach _____ Step.
	I need to _____
	_____
	_____
	_____
Speaking	I have reached _____ Step in **Speaking**.
¡Hola!	In Module 2, I want to reach _____ Step.
	I need to _____
	_____
	_____
	_____
Reading	I have reached _____ Step in **Reading**.
	In Module 2, I want to reach _____ Step.
	I need to _____
	_____
	_____
	_____
Writing	I have reached _____ Step in **Writing**.
	In Module 2, I want to reach _____ Step.
	I need to _____
	_____
	_____
	_____

Saludos — Greetings

¡Hola!	Hello!
¿Qué tal?	How are you?
Bien, gracias.	Fine, thanks.
fenomenal	great
regular	not bad
fatal	awful
¿Cómo te llamas?	What are you called?
Me llamo...	I am called...
¿Dónde vives?	Where do you live?
Vivo en...	I live in...
¡Hasta luego!	See you later!
¡Adiós!	Goodbye!

¿Qué tipo de persona eres? — What sort of person are you?

Soy...	I am...
divertido/a	amusing
estupendo/a	brilliant
fenomenal	fantastic
generoso/a	generous
genial	great
guay	cool
listo/a	clever
serio/a	serious
simpático/a	nice, kind
sincero/a	sincere
tímido/a	shy
tonto/a	daft
tranquilo/a	quiet, calm

Mi pasión — My passion

Mi pasión es...	My passion is...
Mi héroe es...	My hero is...
el deporte	sport
el fútbol	football
la música	music
el tenis	tennis

¿Tienes hermanos? — Do you have any brothers or sisters?

Tengo...	I have...
una hermana	a sister
un hermano	a brother
una hermanastra	a half-sister/ stepsister
un hermanastro	a half-brother/ stepbrother
No tengo hermanos.	I don't have any brothers or sisters.
Soy hijo único/ hija única.	I am an only child. (male/female)

Los números 1 – 31 — Numbers 1 – 31

Spanish	Num	Spanish	Num
uno	1	diecisiete	17
dos	2	dieciocho	18
tres	3	diecinueve	19
cuatro	4	veinte	20
cinco	5	veintiuno	21
seis	6	veintidós	22
siete	7	veintitrés	23
ocho	8	veinticuatro	24
nueve	9	veinticinco	25
diez	10	veintiséis	26
once	11	veintisiete	27
doce	12	veintiocho	28
trece	13	veintinueve	29
catorce	14	treinta	30
quince	15	treinta y uno	31
dieciséis	16		

¿Cuántos años tienes?   How old are you?

Tengo... años.	I am... years old.	**mayo**	May
¿Cuándo es	When is your	**junio**	June
tu cumpleaños?	birthday?	**julio**	July
Mi cumpleaños	My birthday is the...	**agosto**	August
es el... de...	of...	**septiembre**	September
enero	January	**octubre**	October
febrero	February	**noviembre**	November
marzo	March	**diciembre**	December
abril	April		

¿Tienes mascotas?   Do you have pets?

Tengo...	I have...	**un pez**	a fish
un caballo	a horse	**un ratón**	a mouse
una cobaya	a guinea pig	**una serpiente**	a snake
un conejo	a rabbit	**No tengo mascotas.**	I don't have any pets.
un gato	a cat	**¿Cómo es?**	What is it like?
un perro	a dog	**¿Cómo son?**	What are they like?

Los colores   Colours

blanco/a	white	**gris**	grey
amarillo/a	yellow	**marrón**	brown
negro/a	black	**azul**	blue
rojo/a	red	**rosa**	pink
verde	green	**naranja**	orange

Palabras muy frecuentes   High-frequency words

bastante	quite	**también**	also, too
no	no/not	**tu/tus**	your
mi/mis	my	**un poco**	a bit
muy	very	**y**	and
pero	but		

¿Qué te gusta hacer? (pages 30–31)

1 Complete the sentences with the verbs from the box.
Then match the sentences to the pictures.

1 Me gusta .... correos.

2 Me gusta .... la televisión.

3 Me gusta .... con mis amigos.

4 Me gusta .... música.

5 Me gusta .... a los videojuegos.

6 Me gusta .... revistas y libros.

escribir	leer
escuchar	salir
jugar	ver

las revistas	magazines
los libros	books

a ☐   **c** ☐   **e** ☐

b ☐   **d** ☐   **f** ☐

2 Choose endings for each sentence. Then write them beside the appropriate smiley faces.

1 Me gusta leer...

2 No me gusta navegar por Internet...

3 Me gusta mucho salir con mis amigos...

4 No me gusta nada chatear...

porque es muy aburrido.

porque no es interesante.

porque es interesante.

porque es muy divertido.

a 🙂 ....

b 😐 ....

c 🙂 ....

d 🙁 ....

3 Give your own opinions. On a separate sheet, write four sentences using the sentences (1–4) in exercise 2, the leisure activities in exercise 1 and the adjectives from the box.

aburrido   divertido   estúpido   genial   guay   interesante

¡2! ¿Cantas karaoke? (pages 32–33)

1 **How often do these people do the activities mentioned? Number the sentences from most often to least often.**

a [ ] Daniel y Pablo a veces montan en bici pero su deporte favorito es el fútbol.

b [ ] Me gusta jugar a los videojuegos de vez en cuando.

c [ ] Mi hermana es muy sociable y habla con sus amigos todos los días.

d [ ] No soy una persona tímida pero nunca canto karaoke.

2 **Complete the sentences. Then look at the bedrooms and decide who wrote each sentence.**

1 Soy una persona muy sociable y <u>hablo</u> con mis amigos todos los días. <u>Macarena</u>

2 Mi pasión es la música y .... el piano todos los días. ....

3 Mi deporte favorito es el ciclismo y .... en bici todos los días. ....

4 .... la guitarra a veces pero nunca .... karaoke. ....

5 No me gusta escribir correos pero a veces .... por Internet. ....

6 No me gusta navegar por Internet. Me .... mucho leer. ....

Laura   **Javier**   **Macarena**

3 **Write one more sentence for Laura, Javier and Macarena, based on the pictures in exercise 2.**

1 Laura: <u>Me gusta</u> ....

2 Javier: ....

3 Macarena: ....

¡3! ¿Qué haces cuando llueve? (pages 34–35)

1 Write the weather forecast for the places shown on the map.

1 En San Sebastián **llueve** y ....

2 En Barcelona .... y ....

....

3 ....

....

4 ....

....

5 ....

....

6 ....

....

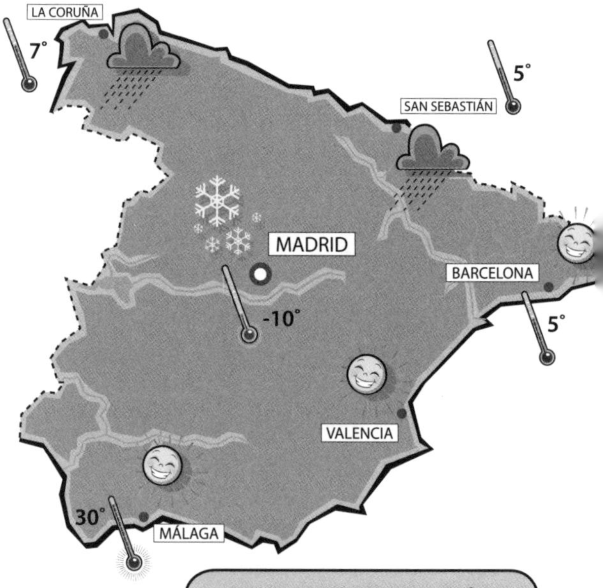

Map labels: LA CORUÑA 7°, SAN SEBASTIÁN 5°, MADRID -10°, BARCELONA 5°, VALENCIA, MÁLAGA 30°

> hace sol   hace frío
> hace calor   llueve
> nieva
> hace buen tiempo

2 Read the texts and write the name of the place for each sentence. Choose from: **Veracruz, Pirineos** or **San José.**

Hola, me llamo Jorge y vivo en Veracruz, en México. Generalmente hace sol y hace bastante calor todos los días, pero de vez en cuando llueve mucho. Llueve en verano. En invierno generalmente no llueve pero no hace frío y nunca nieva.

Me llamo Luna y vivo en España, en los Pirineos. Aquí en la montaña hace buen tiempo en primavera, en verano y en otoño pero en invierno hace mucho frío y nieva. Cuando hace mucho frío veo la tele, navego por Internet o leo.

Hola, me llamo Claudia y vivo en San José, la capital de Costa Rica. Aquí hace buen tiempo todo el año. No hace mucho frío en invierno y no hace mucho calor en verano. ¡Es un clima ideal!

1 Sometimes there's a lot of rain.

....

2 The weather is good all year round.

....

3 It's cold in winter. ....

4 It never snows. ....

5 The weather is good in spring, summer and autumn. ....

6 It's not very hot in summer. ....

7 The weather is better in winter.

....

8 There's snow in winter. ....

9 It usually rains in summer. ....

10 When it's very cold, it's best to stay at home. ....

3 Write a paragraph like the ones in exercise 2.

¡4! ¿Qué deportes haces? (pages 36–37)

1 Complete the sentences with the correct verbs.

juega/juegan
hace/hacen

1 Daniel y José juegan al baloncesto los lunes y los miércoles.

2 Martín .... artes marciales los sábados.

3 Susana y Alba .... atletismo los viernes.

4 Alba y Martín .... natación los domingos.

5 Susana .... al tenis los martes.

2 Read the sentences in exercise 1 again. Susana, Alba, Daniel, José and Martín are taking part in a 5-a-side football tournament. Which day of the week can they meet to train?

....

3 Match the questions (1–4) to the answers (a–d). Then write your own answers to the questions.

1 ¿Te gusta el deporte?	b	a	Los lunes, los miércoles, los viernes y los sábados.
2 ¿Qué deportes haces?		b	Sí, me encanta.
3 ¿Cuándo haces deporte?		c	¡No hago nada!
4 ¿Qué haces los domingos?		d	Juego al fútbol, al voleibol y al baloncesto. También hago atletismo y natación.

1 Sí, me gusta mucho. / No, no me gusta nada.

....

No hago nada	I don't do anything

2 ....

....

3 ....

....

4 ....

....

¡SKILLS! ¿Eres fanático? (pages 38–39)

1 Unjumble the words. Choose the correct ending (a–g) for each sentence.

1 llamo Me Fernando vivo y ☐   a música o leo un libro.

2 una bastante Soy persona ☐   b pero a veces llueve.

3 baloncesto al Juego y ☐   c Pau Gasol y Ellie Simmonds.

4 héroes Mis son ☐   d hago atletismo.

5 gusta En tiempo libre me mi ☐   e en Cartagena, en Colombia.

6 en hace frío Nunca Cartagena ☐   f extrovertida y deportista.

7 llueve Cuando escucho ☐   g salir con mis amigos.

2 Read the text and find the Spanish words and phrases.

> Me llamo Julia y vivo en Santiago, la capital de Chile. Soy una persona bastante positiva y abierta. También soy bastante deportista: hago artes marciales y juego al tenis. Mi héroe es Rafael Nadal. Es un deportista estupendo.
> En mi tiempo libre me gusta navegar por Internet porque es muy interesante. También toco la guitarra. Toco todos los días. Aquí en Chile hace bastante frío en julio y agosto, que es el invierno para nosotros. Hace buen tiempo en diciembre y enero. Cuando hace mal tiempo veo la tele o juego a los videojuegos.

SKILLS

To help you when you're reading in Spanish:
- look for words that are cognates (similar to English words).
- look at the context, because the overall meaning of the sentence can help you guess a new word or phrase.

1 I'm quite a positive and outgoing person. ....

2 I'm quite sporty too. ....

3 I do martial arts. ....

4 He's a brilliant sportsman. ....

5 It's the winter for us. ....

3 Read the text again. Then underline the incorrect information in these sentences and write the correct information.

1 Julia lives in Santiago, the capital of <u>Argentina</u>.   Chile

2 She plays football. ....

3 She surfs the internet because it's very useful. ....

4 She sometimes plays the guitar. ....

¡REPASO 1!

1 **Complete Jorge's text with** *hago/juego.*

En verano **1** .... al tenis y
2 .... natación con mis amigos.
Cuando hace buen tiempo monto en bicicleta.
3 .... atletismo en mayo, junio y julio.
En invierno **4** .... al rugby y a veces
5 .... al fútbol pero no me gusta
nada jugar cuando hace mucho frío. Cuando llueve o
cuando nieva me gusta ver programas de deporte en la
televisión. **Jorge**

2 **Read the text in exercise 1 again and answer the questions.**

What does Jorge...

1 do with his friends in summer? ....

2 do if the weather's good in summer? ....

3 do in some summer months? ....

4 play in winter? ....

5 not enjoy in bad weather? ....

6 prefer to do when it's raining or snowing? ....

3 **On a separate sheet, write the paragraph to make it more interesting. Use the words and phrases from the table.**

Me gusta salir con mis amigos. Es
divertido. Me gusta escuchar música.
No canto karaoke. Me gusta sacar
fotos. Me gusta navegar por Internet.
Es interesante. No me gusta jugar a
los videojuegos. Es aburrido. Me gusta
ver la televisión.

bastante quite **muy** very	Es bastante / muy aburrido.
mucho a lot **nada** not at all	Me gusta mucho / No me gusta nada.
y and **también** also **pero** but **porque** because	
todos los días every day **de vez en cuando** from time to time **a veces** sometimes **nunca** never	

Me gusta mucho salir con mis amigos porque es muy divertido...

1 Read the text about Pau Gasol. Then write what you know from the text about each of the aspects listed below.

Una familia muy deportista

Pau Gasol es de Barcelona, España pero vive en California. Es un jugador de baloncesto genial. Juega con Kobe Bryant. Pau habla tres idiomas: catalán, español e inglés. Su cumpleaños es el 6 de julio y tiene 32 años. Es simpático, generoso y positivo. En su tiempo libre le gusta leer. También le gusta la música clásica y la ópera. Pau tiene dos hermanos que se llaman Marc y Adrià. ¿Qué deportes hacen? ¡Pues, juegan al baloncesto por supuesto!

1 where he's from ....

2 where he lives ....

3 which languages he speaks ....

4 his birthday ....

5 his personality ....

6 his free-time activities ....

7 his family ....

2 Complete the questions with the correct question word: *qué/cómo/cuándo/ dónde/cuántos*. Then write the answers to the questions for Pau Gasol.

1 ¿De dónde .... eres? Soy de Barcelona en España. ....

2 ¿ .... vives? ....

3 ¿ .... deporte haces? ....

4 ¿ .... idiomas hablas? ....

5 ¿ .... es tu cumpleaños? ....

6 ¿ .... años tienes? ....

7 ¿ .... te gusta hacer en tu tiempo libre? ....

  ....

8 ¿ .... hermanos tienes? ....

9 ¿ .... se llaman tus hermanos? ....

10 ¿ .... deportes hacen tus hermanos? ....

¡GRAMÁTICA! (pages 44–45)

1 Complete the verb tables.

hablar	hacer	vivir	jugar
hablo	hago	viv.....	juego
habl**as**	hac.....	vives	jueg.....
hab.....	hace	viv.....	juega
habl.....	hacemos	vivimos	jugamos
habláis	hacéis	vivís	jugáis
habl.....	hac.....	viv.....	jueg.....

2 Complete the conversation. Write the missing verbs in the spaces.

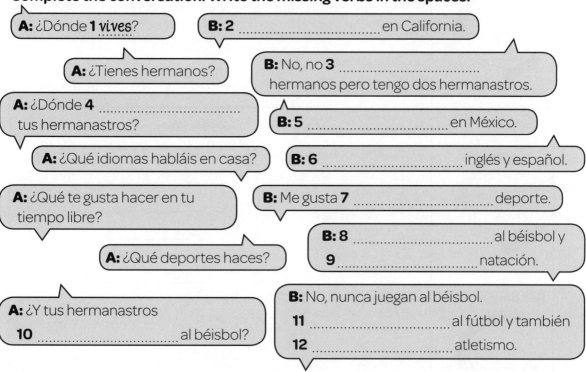

A: ¿Dónde **1** vives?

B: 2 .... en California.

A: ¿Tienes hermanos?

B: No, no **3** .... hermanos pero tengo dos hermanastros.

A: ¿Dónde **4** .... tus hermanastros?

B: 5 .... en México.

A: ¿Qué idiomas habláis en casa?

B: 6 .... inglés y español.

A: ¿Qué te gusta hacer en tu tiempo libre?

B: Me gusta **7** .... deporte.

A: ¿Qué deportes haces?

B: 8 .... al béisbol y **9** .... natación.

A: ¿Y tus hermanastros **10** .... al béisbol?

B: No, nunca juegan al béisbol. **11** .... al fútbol y también **12** .... atletismo.

3 Complete the sentences with the infinitive or the first person singular of the verbs in brackets.

1 Me gusta escuchar música pero nunca canto karaoke. **(escuchar, cantar)**

2 No me gusta .... a los videojuegos, pero .... por Internet todos los días. **(jugar, navegar)**

3 .... al fútbol y al baloncesto. Me gusta mucho .... deporte. **(jugar, hacer)**

4 Cuando .... mal tiempo me gusta .... o .... la tele. **(hacer, leer, ver)**

5 ¿Qué te gusta .... cuando .... mal tiempo? **(hacer, hacer)**

¡PROGRESO!

MODULE 2

1 Record your steps for Module 2.

2 Look at the step descriptors on pages 58–59 and set your targets for Module 3.

3 Fill in what you need to do to achieve these targets.

Listening	I have reached _____ Step in **Listening**. In Module 3, I want to reach _____ Step. I need to _____ _____ _____ _____
Speaking ¡Hola!	I have reached _____ Step in **Speaking**. In Module 3, I want to reach _____ Step. I need to _____ _____ _____ _____
Reading	I have reached _____ Step in **Reading**. In Module 3, I want to reach _____ Step. I need to _____ _____ _____ _____
Writing	I have reached _____ Step in **Writing**. In Module 3, I want to reach _____ Step. I need to _____ _____ _____ _____

¡PALABRAS!

¿Qué te gusta hacer?   What do you like to do?

Me gusta...	I like...	navegar por Internet	to surf the net
Me gusta mucho...	I really like...	salir con mis amigos	to go out with my friends
No me gusta...	I don't like...		
No me gusta nada...	I don't like at all...	ver la televisión	to watch TV
chatear	to chat online	porque es...	because it is...
escribir correos	to write emails	porque no es...	because it is not...
escuchar música	to listen to music	interesante	interesting
jugar a los videojuegos	to play videogames	guay	cool
leer	to read	divertido/a	amusing, funny
mandar SMS	to send text messages	estúpido/a	stupid
		aburrido/a	boring

¿Qué haces en tu tiempo libre?   What do you do in your spare time?

bailo	I dance	monto en bici	I ride my bike
canto karaoke	I sing karaoke	saco fotos	I take photos
hablo con mis amigos	I talk with my friends	toco la guitarra	I play the guitar

Expresiones de frecuencia   Expressions of frequency

a veces	sometimes	nunca	never
de vez en cuando	from time to time	todos los días	every day

¿Qué tiempo hace?   What's the weather like?

hace calor	it's hot	llueve	it's raining
hace frío	it's cold	nieva	it's snowing
hace sol	it's sunny	¿Qué haces cuando llueve?	What do you do when it's raining?
hace buen tiempo	it's nice weather		

Las estaciones   The seasons

la primavera	spring	el otoño	autumn
el verano	summer	el invierno	winter

¿Qué deportes haces? What sports do you do?

Hago artes marciales.	I do martial arts.	**Juego al tenis.**	I play tennis.
Hago atletismo.	I do athletics.	**Juego al voleibol.**	I play volleyball.
Hago equitación.	I do/go horseriding.	**¡Me gusta!**	I like it!
Hago gimnasia.	I do gymnastics.	**¡Me gusta mucho!**	I like it a lot!
Hago natación.	I do/go swimming.	**¡Me gusta muchísimo!**	I really, really like it!
Juego al baloncesto.	I play basketball.	**¡Me encanta!**	I love it!
Juego al fútbol.	I play football.		

Los días de la semana The days of the week

lunes	Monday	**domingo**	Sunday
martes	Tuesday	**los lunes**	on Mondays, every Monday
miércoles	Wednesday		
jueves	Thursday	**los martes**	on Tuesdays, every Tuesday
viernes	Friday		
sábado	Saturday		

Algunas preguntas Some questions

¿Qué...?	What/Which...?	**¿Cómo...?**	How/What...?
¿Cuándo...?	When...?	**¿Cuántos...?**	How many...?
¿Dónde...?	Where...?		

Palabras muy frecuentes High-frequency words

con	with	**pero**	but
cuando	when	**porque**	because
generalmente	generally	**sí**	yes
mucho	a lot	**también**	also
no	no	**y**	and
o	or	**¿Y tú?**	And you?

1! ¿Qué estudias? (pages 54–55)

1 Read the sentences and complete the gaps in the timetable.

lunes	martes	miércoles	jueves	viernes
dibujo		educación física	música	francés
recreo				
	religión	geografía		inglés
tecnología		matemáticas		
hora de comida				
matemáticas	francés		español	dibujo
educación física	dibujo		religión	geografía
historia	tecnología	informática	teatro	matemáticas

1 Los lunes estudio dibujo y español.

2 Los martes estudiamos inglés, religión e informática por la mañana.

3 Los miércoles por la tarde estudio ciencias, música y también informática.

4 Los jueves después del recreo estudiamos historia y ciencias.

5 Mi día favorito es el viernes porque estudio inglés y también teatro.

> Remember:
> **Mi día favorito es el lunes/martes/ miércoles...**
> My favourite day is Monday/Tuesday/ Wednesday...
> **Los lunes/martes/ miércoles...**
> On Mondays/Tuesdays/ Wednesdays...

2 Match the two halves of each sentence.

1 Los lunes en la clase de tecnología ☐   **a** hablamos y escuchamos.

2 En la clase de música ☐   **b** chateamos!

3 Durante la clase de educación física ☐   **c** navegamos por Internet.

4 En la clase de español ☐   **d** jugamos al baloncesto.

5 ¡Nunca mandamos SMS ni ☐   **e** tocamos el teclado.

3 Write your own answers to these questions.

> **el teclado** keyboard

1 ¿Qué estudias los lunes por la mañana?

....

2 ¿Qué estudias el viernes por la tarde?

....

3 ¿Cuál es tu día favorito y por qué?

....

¡2! ¿Te gustan las ciencias? (pages 56–57)

1 Read the texts and complete the grid with the appropriate symbols.

> Me encanta el español pero no me gustan nada las matemáticas. Me gusta la educación física. No me gustan las ciencias pero me gusta mucho la historia. Saludos, Felipe.

> ¡Hola! Me llamo Aurora. Me encantan las matemáticas y me gustan las ciencias. Me gusta mucho la historia. No me gustan nada la educación física ni el español.

	🇪🇸	🖩	⚽🎾	🧪	👑
Felipe	🙂🙂🙂			🙁	
Aurora					

Gramática

Remember:

Singular	**Plural**
Me gusta **el** español.	Me gustan **las** matemáticas.
Me encanta **la** historia.	No me gustan nada **las** ciencias.

Clave

me encanta(n)	🙂🙂🙂
me gusta(n) mucho	🙂🙂
me gusta(n)	🙂
no me gusta(n)	🙁
no me gusta(n) nada	🙁🙁

2 Read the email and note in English what Alicia thinks of the following.

> ¡Hola Ruben!
> Esta semana empiezo el nuevo curso. Estudio muchas asignaturas. Me gusta la historia porque es interesante, es mi asignatura favorita. Las ciencias son muy útiles pero no me gustan las matemáticas porque no son fáciles. La informática es práctica pero es muy aburrida. Estudiamos idiomas. La profesora de español es muy divertida pero el profesor de francés es muy severo y no es paciente. Alicia

1 history *interesting*

2 science

3 maths

4 IT

5 Spanish

6 French

3 On a separate sheet, write a similar email using these symbols and words.

¡3! ¿Qué hay en tu insti? (pages 58–59)

1 Complete the sentences with the correct adjectives.

1 Me gusta mi insti porque es .... **bonito/bonita**

2 El patio de mi insti es .... **grande/grandes**

3 Los laboratorios de ciencias son .... **antiguos/antiguas**

4 La biblioteca es muy .... **pequeñas/pequeña**

5 No hay un gimnasio .... **moderno/moderna**

6 El comedor no es .... **feos/feo**

2 Read the text and complete the sentences with the correct words.

Querido amigo:

Voy a describir mi insti. Estudio en un instituto mixto. Hay (1) *una biblioteca y muchas*

clases. Hay (2) .... *y (3)* ....

de ciencias. También hay (4) .... *y pistas de tenis pero*

no hay (5)  .... *Hay (6)* ....

grande y (7) .... *donde comemos durante la hora de comida.*

Hay (8) .... *pero no hay laboratorio de idiomas.*

Un saludo, Elisa

> **dos laboratorios   un comedor**
> ~~una biblioteca~~ **piscina   un patio**
> **un campo de fútbol   un gimnasio**
> **una clase de informática**

> **Remember:**
> After **No hay…** you
> don't need **un/una/
> unos/unas…**

3 On a separate sheet, write five sentences describing facilities in your school. Use the sentences in exercise 2 as a model.

¡4! Durante el recreo (pages 60–61)

1 Read the speech bubbles below and look at the table. Work out who is speaking in each bubble and write their names in the space below.

Alvaro	✓	✓		✓		X	✓	X
Marisa	✓	✓	X	✓	X	✓		
Juan	X	✓	✓				✓	✓
Bea		✓	✓	✓	✓	X		X

> Durante el recreo primero como algo... fruta, por ejemplo, y bebo agua. Normalmente hablo con mis amigos y a veces juego al fútbol. Nunca escucho música ni leo mis SMS.

> Yo voy a la biblioteca durante el recreo. Leo libros o hago mis deberes. No como ni chocolatinas ni patatas fritas pero bebo un refresco. A veces escribo SMS.

....

2 Write a speech bubble like the one above for each of the remaining two people in the table.

> Durante el recreo ....
> ....
> ....
> ....
> ....
> ....

> Durante el recreo ....
> ....
> ....
> ....
> ....
> ....

3 Answer this question to write about what you do at break time.

¿Qué haces durante el recreo?

¡SKILLS! ¿Cómo es tu insti? (pages 64–65)

1 Read the text and find the Spanish for the words and expressions below.

Un instituto del futuro

Hola, me llamo Fátima. Mi instituto es pequeño porque no hay muchas clases. Estudiamos muchas asignaturas en una clase con ordenadores y tabletas. Normalmente no hay bolígrafos, lápices, cuadernos ni libros. No es necesario. Hay pocos profesores porque usamos tecnologías modernas. Mi asignatura favorita es la historia porque es interesante, por ejemplo estudiamos Las Olimpiadas de Londres de 2012. Estudiamos español en el laboratorio de idiomas. Hablamos y escuchamos en clase. Me gusta porque es muy fácil. No hay campos de fútbol ni gimnasio pero por las tardes vamos a un centro deportivo muy cerca donde hay piscina, pistas de tenis y mucho más. Durante el recreo leo y escribo SMS, escucho música y también veo programas de televisión en la biblioteca. El comedor es estupendo porque todos los días hay comida de todo el mundo: española, mexicana, india… Me encanta mi instituto.

1 tablets ....

2 it's not necessary ....

3 we use ....

4 there are few ....

5 subject ....

6 language lab ....

7 tennis courts ....

2 Read the text in exercise 1 again and...

1 underline 4 connectives (e.g. **pero**).

2 circle 4 adjectives (e.g. **pequeño**).

3 put a wiggly line under 3 verbs in the first person (e.g. **leo**).

4 highlight 3 verbs in the first person plural (e.g. **hablamos**).

SKILLS
Go back and check your work for accuracy. Have you used the right verb endings? Do your adjectives agree with the nouns they are describing?

3 On a separate sheet, write a similar description of a present-day school. Use these questions and the vocabulary to help you:

¿Cómo es tu instituto?

¿Qué hay en tu instituto?

¿Qué no hay en tu instituto?

¿Qué asignaturas estudias?

¿Cómo son tus profesores?

¿Qué haces durante el recreo?

¿Te gusta tu instituto?

1 Complete the sentences and fill in the crossword. Use the words in the box to help you.

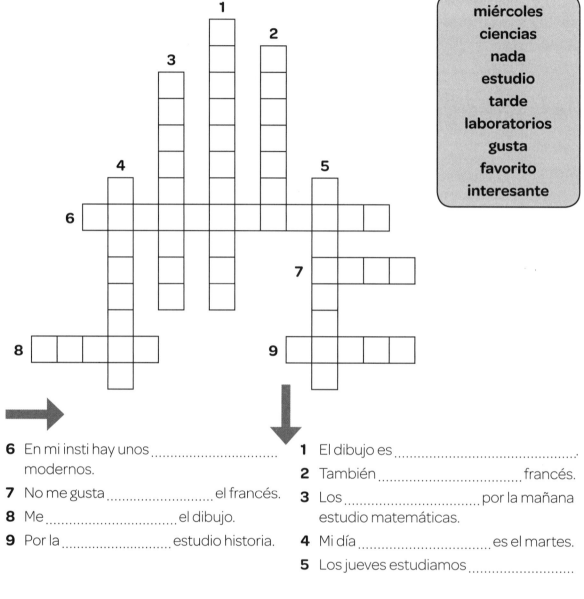

miércoles
ciencias
nada
estudio
tarde
laboratorios
gusta
favorito
interesante

6 En mi insti hay unos .... modernos.

7 No me gusta .... el francés.

8 Me .... el dibujo.

9 Por la .... estudio historia.

1 El dibujo es ....

2 También .... francés.

3 Los .... por la mañana estudio matemáticas.

4 Mi día .... es el martes.

5 Los jueves estudiamos ....

2 Unjumble the sentences and write them out correctly.

1 lunes español Los estudiamos la por mañana ....

2 encanta útil Me informática es porque la ....

3 instituto En hay no fútbol mi de campo ....

4 es Mi favorito día viernes el ....

5 como Durante recreo algo el ....

6 refresco bebo A un veces ....

¡REPASO 2!

1 **Read the interview with Carlos.**
Match the questions to the answers.

canchas courts

1 ¿Cómo es tu instituto, Carlos? ☐ **a** Hacemos deportes en el gimnasio y el campo de fútbol.

2 ¿Qué más hay en tu insti? ☐ **b** No, pero hay canchas de baloncesto.

3 Cómo son los laboratorios de ciencias? ☐ **c** Son un poco antiguos.

4 ¿Dónde hacéis educación física? ☐ **d** Es grande y moderno. Hay muchas clases.

5 ¿Hay piscina? ☐ **e** Prefiero el lunes porque estudio dibujo después del recreo.

6 ¿Dónde coméis? ☐ **f** Me encanta la biblioteca porque es tranquila.

7 ¿Cuál es tu día favorito? ☐ **g** Hay dos patios bonitos y también hay tres laboratorios.

8 ¿Cómo son tus profesores? ☐ **h** Son buenos, especialmente la profesora de español. Es muy simpática.

9 ¿Qué te gusta más de tu instituto? ☐ **i** Hay un comedor, es un poco feo pero es cómodo.

2 **Read the questions and answers again (exercise 1) and correct the**
mistakes in each of the sentences below. Look carefully at the detail
and use a dictionary to look up any words you don't know.

1 Carlos' school is old and small. ..big and modern.................................

2 There is one ugly playground and three labs...

3 The science labs are very modern...

4 The students do PE in the playground..

5 There is a swimming pool but no tennis courts..

6 The dining room is very ugly but it's comfortable......................................

7 Carlos' favourite day is Friday because he has French after break..............

8 Carlos' teachers are good, especially the art teacher. She is very strict........

....

9 Carlos likes the IT room best because it's warm.......................................

3 **On a separate sheet, use the questions in exercise 1 (1–10) to write an interview**
with someone who goes to another school. Write out the interview. Use the
answers in exercise 1 (a–j) to help you.

¡GRAMÁTICA!

MODULE 3

(pages 68–69)

1 Complete the sentences with *gusta* or *gustan*.

1 Me .... la historia.

2 No me .... el inglés.

3 Me .... las matemáticas.

4 Me .... las ciencias y la informática.

5 Me .... la educación física.

6 ¿Te .... el inglés?

7 ¿Te .... el francés y la religión?

8 No me .... nada mi instituto.

2 Complete the sentences with the appropriate form of the adjective.

1 La geografía es .... **(divertido)**.

2 Las matemáticas son .... **(fácil)**.

3 Las ciencias son .... **(interesante)**.

4 El español es .... **(útil)**.

5 Los profesores son .... **(simpático)**.

6 La clase de informática es .... **(moderno)**.

3 Complete the sentences using the appropriate form of the verb.

1 ¿Tú qué .... **(hacer)** durante el recreo?

2 Juan .... **(beber)** agua mineral.

3 Miguel y Javier .... **(escribir)** SMS.

4 Susana y yo .... **(leer)** libros.

5 Yo .... **(hablar)** con mis amigas.

6 ¿.. **(comer)** en el comedor del insti?

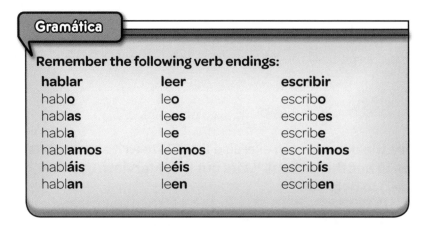

Gramática

Remember the following verb endings:

hablar	leer	escribir
hablo	leo	escribo
hablas	lees	escribes
habla	lee	escribe
hablamos	leemos	escribimos
habláis	leéis	escribís
hablan	leen	escriben

1 Record your steps for Module 3.

2 Look at the step descriptors on pages 58–59 and set your targets for Module 4.

3 Fill in what you need to do to achieve these targets.

Listening	I have reached _____ Step in **Listening**.
	In Module 4, I want to reach _____ Step.
	I need to _____
	_____
	_____
	_____
Speaking	I have reached _____ Step in **Speaking**.
	In Module 4, I want to reach _____ Step.
	I need to _____
	_____
	_____
	_____
Reading	I have reached _____ Step in **Reading**.
	In Module 4, I want to reach _____ Step.
	I need to _____
	_____
	_____
	_____
Writing	I have reached _____ Step in **Writing**.
	In Module 4, I want to reach _____ Step.
	I need to _____
	_____
	_____
	_____

¡PALABRAS!

¿Qué estudias?   What do you study?

Estudio...	I study...	informática	ICT
ciencias	science	inglés	English
educación física	PE	matemáticas	maths
dibujo	art	música	music
español	Spanish	religión	RE
francés	French	teatro	drama
geografía	geography	tecnología	technology
historia	history		

¿Cuál es tu día favorito?   What is your favourite day?

Mi día favorito es el lunes/el martes.	My favourite day is Monday/Tuesday.
Los lunes/martes estudio...	On Mondays/Tuesdays I study...
¿Por qué?	Why?
Porque...	Because...
por la mañana	in the morning
por la tarde	in the afternoon
estudiamos	we study
no estudio	I don't study

Opiniones   Opinions

¿Te gusta el dibujo?	Do you like art?	aburrido/a	boring
Sí, me gusta (mucho) el dibujo.	Yes, I like art (a lot).	difícil	difficult
		divertido/a	funny
No, no me gusta (nada) el dibujo.	No, I don't like art (at all).	fácil	easy
		importante	important
¿Te gustan las ciencias?	Do you like science?	interesante	interesting
		práctico/a	practical
Sí, me encantan las ciencias.	Yes, I love science.	útil	useful

Los profesores   Teachers

		Spanish	English
El profesor/ La profesora es...	The teacher is...	raro/a	odd
		severo/a	strict
paciente	patient		

¿Qué hay en tu insti?   What is there in your school?

En mi insti hay...	In my school, there is...	una clase de informática	an ICT room
un campo de fútbol	a football field	una piscina	a swimming pool
un comedor	a dining hall	unos laboratorios	some laboratories
un gimnasio	a gymnasium	unas clases	some classrooms
un patio	a playground	No hay piscina.	There isn't a swimming pool.
una biblioteca	a library		

¿Cómo es tu insti?   What's your school like?

Es...	It's...	**grande**	big
antiguo/a	old	**horrible**	horrible
bonito/a	nice	**moderno/a**	modern
bueno/a	good	**pequeño/a**	small
feo/a	ugly		

¿Qué haces durante el recreo?   What do you do during break?

Como...	I eat...	**agua**	water
un bocadillo	a sandwich	**un refresco**	a fizzy drink
unos caramelos	some sweets	**un zumo**	a juice
chicle	chewing gum	**Leo mis SMS.**	I read my text messages.
una chocolatina	a chocolate bar		
fruta	fruit	**Escribo SMS.**	I write text messages.
unas patatas fritas	some crisps	**Nunca hago**	I never do
Bebo...	I drink...	**los deberes.**	homework.

Expresiones de tiempo   Time expressions

normalmente	normally	**primero**	first
a veces	sometimes	**luego**	then

Palabras muy frecuentes   High-frequency words

algo	something	**¿Por qué?**	Why?
donde	where	**porque**	because
hay	there is/there are	**también**	also, too
o	or	**tampoco**	nor/neither
pero	but	**y**	and

MODULE 4

¡1! ¿Cuántas personas hay en tu familia? (pages 76–77)

1 Number the sentences to put the conversation in the correct order.

☐ **Hugo:** El mayor se llama Pedro y el menor se llama Juan.

☐ **Marina**: ¿Cuántos años tienen?

☐ **Hugo**: Tengo dos hermanos y una hermana pequeña.

☐ **Hugo**: Lucía tiene dos años.

☐ **Marina**:¿Cuántos años tiene tu hermana?

☐ **Hugo**: Hay seis personas. ¿Tienes hermanos?

☐1 **Hugo**: ¿Cuántas personas hay en tu familia?

☐ **Marina**: No, soy hija única. ¿Y tú?

☐ **Marina**: ¿Cómo se llaman tus hermanos?

☐ **Hugo**: Mi hermano mayor tiene dieciséis años y mi hermano menor tiene ocho años.

☐ **Marina**: En mi familia somos tres: mi madre, mi abuela y yo. ¿Y tú?

| mayor(es) | older |
| menor(es) | younger |

2 Look at Begoña's family tree. Fill in the gaps.

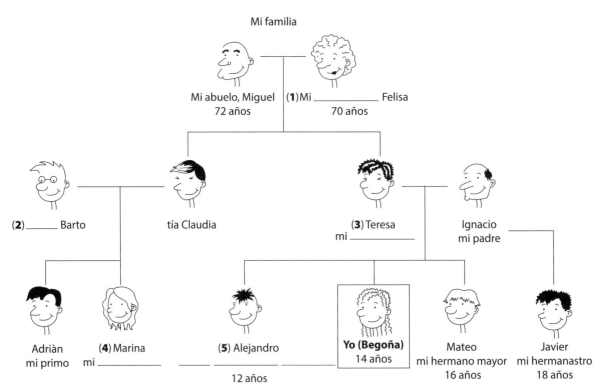

Mi familia

Mi abuelo, Miguel
72 años

(**1**)Mi _____ Felisa
70 años

(**2**)_____ Barto

tía Claudia

(**3**) Teresa
mi _____

Ignacio
mi padre

Adrián
mi primo

(**4**) Marina
mi _____

(**5**) Alejandro
_____
12 años

Yo (Begoña)
14 años

Mateo
mi hermano mayor
16 años

Javier
mi hermanastro
18 años

3 Look at the family tree again. On a separate sheet, write a conversation asking Begoña about her family. Use the conversation in exercise 1 to help you.

¿De qué color tienes los ojos? (pages 78–79)

1   Read the descriptions and match them to the pictures. Look up the words you don't know in the dictionary.

a   Tengo el pelo negro y rizado, no es ni largo ni corto. Tengo los ojos marrones. Soy inteligente.

b   Soy rubio y joven. Tengo el pelo corto y liso. Tengo los ojos castaños. Soy muy hablador y sociable .

c   Tengo los ojos azules. Tengo el pelo corto y rizado. Soy pelirrojo y muy divertido y simpático.

d   Tengo los ojos verdes y el pelo castaño. Tengo el pelo largo y liso y también llevo gafas. Soy guapa.

e   No tengo pelo, soy calvo. Tengo los ojos grises y llevo gafas. Soy abuelo, tengo ochenta y dos años.

1    2    3 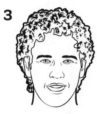   4    5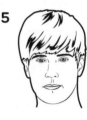

2      Look at the picture and describe the person shown. Use the descriptions in exercise 1 to help you.

....

....

3   Imagine you are an alien. Describe yourself. Mention your eyes and hair, and describe your personality.

....

....

....

....

¡3! ¿Cómo es? (pages 80–81)

1 Look at the pictures and read the descriptions.
Write the letters of the pictures that match them.

1 Mi hermana es rubia y delgada. `d`

2 Lleva gafas y tiene el pelo negro y corto. ☐

3 Tiene pecas. ☐

4 Juan es muy alto. Lleva barba. ☐

5 Es bastante joven. Tiene el pelo negro y corto. ☐

6 Ashni tiene los ojos marrones y el pelo largo y liso. ☐

7 Tiene el pelo corto y rizado. ☐

8 Tiene el pelo rubio, y no es ni alta ni baja. ☐

9 Eduardo no es feo, y tiene bigote. ☐

10 Es un poco gorda y es morena. ☐

bigote	moustache
morena	dark-haired

a

b

c

d

2 Look at the wanted posters. Which poster matches the description?
Tick the correct box.

1

2

Buscado

Teo 'el Tigre' Guzmán. Hombre de unos 50 años. Es alto y delgado pero es muy fuerte. Es feo. Tiene el pelo negro, largo y liso. Tiene los ojos castaños pero siempre lleva gafas de sol y a veces un sombrero.

Es muy peligroso. Va armado.

3 On a separate sheet, describe the other wanted person.

gafas de sol	sunglasses
un sombrero	hat
peligroso	dangerous
va armado	he's armed

¿Cómo es tu casa o tu piso? (pages 82–83)

1 Read the speech bubbles below and look at the table. Work out who is speaking in each bubble. Write their names in the spaces below.

Rosa	✓					✓	✓ E	😊
Adrián	✓		✓				✓ C	🙂
Margarita		✓			✓		✓ S	🙁
Ahmed		✓		✓	✓		✓ N	🙁

Vivo en una casa antigua que está en la montaña. Mi pueblo está en el centro de España. Vivo con mi familia: mi abuelo, mis padres y mis dos hermanos. Me gusta mi casa porque es bastante grande y tiene un jardín bonito.

Vivo en un piso moderno en Barcelona que está en el norte de España, en la costa. Vivo con mi madre y mi padrastro. Vivimos en el centro de la ciudad. Nuestro piso es un poco pequeño y bastante cómodo pero no me gusta vivir aquí porque hay mucho tráfico.

a ....

b ....

2 Look at the pictures and, on a separate sheet, write sentences to describe each home shown. Say what their home is like and why they like or dislike where they live.

Vivo en... Me gusta/No me gusta porque...

Gramática

Remember:
- Use **está** to say where something is.
- Use **es** to say what something is like.

a

b

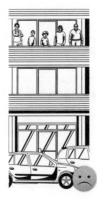

¡SKILLS! El carnaval en familia (pages 84–85)

1 Read the texts below quickly for gist. You won't understand everything, but see what you can understand in 2 minutes. To help you, find the Spanish for these words.

1 festivals ....

2 dance ....

3 bulls ....

4 streets ....

5 bullfights ....

En España hay muchas fiestas, posiblemente más de 25.000 durante el año. Tienen sus orígenes en la religión, la historia, la agricultura y la pesca. Casi todas las fiestas incluyen música, baile, trajes típicos o especiales, comida y mucha alegría. Aquí hablamos de dos fiestas importantes.

San Fermín

El 6 de julio empieza una semana de fiestas en Pamplona. Los toros y la gente corren por las calles de la ciudad. Es peligroso porque los toros son bravos y fuertes y las calles son estrechas.

La Feria de abril

La Feria de abril se celebra en Sevilla. Hay flamenco, corridas de toros, caballos, mujeres con vestidos de colores fabulosos y hombres con trajes negros tradicionales. La gente baila toda la noche.

---

2 Read the texts again and...

1 circle four new nouns.

2 underline four new verbs.

3 put a wiggly line under four new adjectives.

Now look up the words in the dictionary.

3 Read the text again and answer these questions in English.

1 What are there more than 25,000 of in Spain? ....

2 Where do the bulls and people run in Pamplona? ....

3 What do the people do all night during the Feria de Abril? ....

SKILLS

Looking up nouns
In a dictionary, nouns are listed in the *singular form*:

toro *nm* bull   **calle** *nf* street

Take the **-s** or **-es** off a plural word before looking it up.

Looking up adjectives
Adjectives are listed in the *masculine singular form*:

estrecho *adj* narrow

Looking up verbs
Verbs are listed in the infinitive:

bailar *v* to dance

1 Choose one item from each column to form eight sentences that make sense.

A	B	C
Mi abuela	tiene el pelo	personas en mi familia.
Hay	tiene	azules.
Mi hermano	en	Roberto
Vivo	se llama	una casa
Tengo	cuatro	bastante alto.
Mi padre	está	setenta años.
Mi madre	los ojos	en la ciudad.
Mi casa	es	largo y liso.

1 ....

2 ....

3 ....

4 ....

5 ....

6 ....

7 ....

8 ....

SKILLS

Think carefully about which part of the verb you need.

For example:

Tengo...   I have...

Mi hermana My sister
tiene...   has...

2 Answer these questions. Adapt the sentences in exercise 1 to include your own details, real or invented.

1 ¿Cuántas personas hay en tu familia?

....

2 ¿Cuántos años tiene tu abuela?

....

3 ¿Cómo es tu padre?

....

4 ¿Cómo se llama tu hermana?

....

5 ¿Cómo tiene el pelo tu madre?

....

6 ¿De qué color tienes los ojos?

....

7 ¿Dónde está tu casa?

....

8 ¿Vives en una casa o en un piso?

....

1 Read the interview. Write the three questions from the box below into the correct spaces.

---

1 ¿ .... **?**

Me llamo Rafa Nadal. Soy campeón de tenis. Mi cumpleaños es el 3 de junio. Soy alto, mido 1,85 metros. Tengo el pelo marrón y largo. Tengo los ojos marrones también. Soy muy fuerte y activo. Me encanta el fútbol y en mi tiempo libre juego al fútbol y al golf. También me gusta ver la tele y cocinar.

2 ¿ .... **?**

Somos cuatro personas en mi familia: mi novia, mi padre, mi madre y mi hermana menor. Mi hermana se llama María Isabel. Tiene el pelo rubio, largo y liso y los ojos marrones. Es guapa y delgada. Mi tío Toni es mi entrenador. Mi novia se llama Xisca. Para mí la familia es muy importante. No me gusta estar solo.

3 ¿ .... **?**

Vivo principalmente en Mallorca porque soy de Mallorca. Tengo dos casas, una en Mallorca y otra en la República Dominicana. Mi casa de Mallorca está en la costa. Es grande, moderna y blanca. Hay piscina y gimnasio.

| ¿Cómo es tu familia? | ¿Cómo eres? | ¿Cómo es tu casa? |

2 Correct the mistakes in each of the sentences. Look carefully at the detail!

1 Rafa's birthday is in July. ....

2 His sister is called Xisca. ....

3 His father is his coach. ....

4 Rafa's main house is in the Dominican Republic. ....

5 His main house is in the countryside. ....

3 Look at the interview in exercise 1 again. Find the Spanish for these words and expressions. You may not know all the words, but you should be able to work them out.

1 champion ....

2 strong ....

3 cooking ....

4 girlfriend ....

5 coach ....

6 for me ....

7 to be alone ....

8 mostly ....

¡Viva! 1 © Pearson Education Limited 2013

1 Complete the sentences with the correct pronoun from the list.

1 .... **(my)** tía tiene cuarenta y dos años.

2 ¿Cuándo es .... **(your)** cumpleaños, Marcos?

3 .... **(his)** hermanas son pequeñas.

4 .... **(my)** deportes favoritos son el fútbol y el tenis.

5 Me gustan .... **(your)** mascotas, Carlota.

6 .... **(her)** instituto es muy grande.

mi	
mis	
tu	
tus	
su	
sus	

2 Fill in the gaps in the table.

tener	ser	estar
tengo		estoy
	eres	
	es	
tenemos	somos	
tenéis		estáis
tienen		están

3 Complete the sentences with the correct form of the verb.

1 Mi abuela .... **(tener)** setenta y nueve años.

2 Mi piso .... **(estar)** en el centro de la ciudad.

3 Mis hermanos .... **(tener)** los ojos marrones.

4 Mi amigo y yo .... **(ser)** altos.

5 ¿De qué color .... **(tener)** el pelo?

6 Las casas antiguas .... **(estar)** en el pueblo.

7 Julia y yo .... **(tener)** trece años.

8 Tus padres y tú .... **(tener)** el pelo rubio.

1 Record your steps for Module 4.

2 Look at the step descriptors on pages 58–59 and set your targets for Module 5.

3 Fill in what you need to do to achieve these targets.

Listening	I have reached _____ Step in **Listening**. In Module 5, I want to reach _____ Step. I need to _____ _____ _____ _____
Speaking	I have reached _____ Step in **Speaking**. In Module 5, I want to reach _____ Step. I need to _____ _____ _____ _____
Reading	I have reached _____ Step in **Reading**. In Module 5, I want to reach _____ Step. I need to _____ _____ _____ _____
Writing	I have reached _____ Step in **Writing**. In Module 5, I want to reach _____ Step. I need to _____ _____ _____ _____

¡PALABRAS!

¿Cuántas personas hay en tu familia?

En mi familia hay ... personas.	In my family, there are... people.
mis padres	my parents
mi madre	my mother
mi padre	my father
mi abuelo	my grandfather
mi abuela	my grandmother
mi bisabuela	my great-grandmother
mi tío	my uncle
mi tía	my aunt

How many people are there in your family?

mis primos	my cousins
¿Cómo se llama tu madre?	What is your mother called?
Mi madre se llama...	My mother is called...
¿Cómo se llaman tus primos?	What are your cousins called?
Mis primos se llaman... y...	My cousins are called... and...
su hermano	his/her brother
sus hermanos	his/her brothers

Los números 20 – 100   Numbers 20 – 100

veinte	20	setenta	70
treinta	30	ochenta	80
cuarenta	40	noventa	90
cincuenta	50	cien	100
sesenta	60		

¿De qué color tienes los ojos?   What colour are your eyes?

Tengo los ojos...	I have... eyes.	marrones	brown
azules	blue	verdes	green
grises	grey	Llevo gafas.	I wear glasses.

¿Cómo tienes el pelo?   What's your hair like?

Tengo el pelo...	I have... hair.	rizado	curly
castaño	brown	largo	long
negro	black	corto	short
rubio	blond	Soy pelirrojo/a.	I am a redhead.
azul	blue	Soy calvo.	I am bald.
liso	straight		

¿Cómo es?   What is he/she like?

Es...	He/She is...	joven	young
No es muy...	He/She isn't very...	viejo/a	old
alto/a	tall	Tiene pecas.	He/She has freckles.
bajo/a	short	Tiene barba.	He has a beard.
delgado/a	slim	mis amigos	my friends
gordo/a	fat	mi mejor amigo/a	my best friend
guapo/a	good-looking	su mejor amigo/a	his/her best friend
inteligente	intelligent		

¿Cómo es tu casa o tu piso?   What is your house or flat like?

Vivo en...	I live in...	cómodo/a	comfortable
una casa	a house	grande	big
un piso	a flat	moderno/a	modern
antiguo/a	old	pequeño/a	small
bonito/a	nice		

¿Dónde está?   Where is it?

Está en...	It is in...	un pueblo	a village
el campo	the countryside	el norte	the north
la costa	the coast	el sur	the south
una ciudad	a town	el este	the east
el desierto	the desert	el oeste	the west
la montaña	the mountains	el centro	the centre

Palabras muy frecuentes   High-frequency words

además	also, in addition	un poco	a bit
bastante	quite	mi/mis	my
porque	because	tu/tus	your
muy	very	su/sus	his/her
¿Quién...?	Who?		

1! ¿Qué hay en tu ciudad? (pages 98–99)

1   Read the texts. Match each one up with the right picture.

Carmona

Salamanca

Turégano

1

Mi pueblo es pequeño. Está en el centro de España, en el campo. En mi barrio hay un castillo y una plaza. También hay un mercado una vez a la semana. Me gusta el deporte pero no hay polideportivo, es un problema. No me gusta mucho vivir aquí porque pienso que es un poco aburrido.

Vivo en ....

2

Mi ciudad está en el sur de España. Hay un castillo. También una plaza con restaurantes y bares. Es bonita y antigua pero para los jóvenes no hay nada. No me gusta vivir aquí porque no hay ni polideportivo ni estadio. Pienso que es demasiado pequeña.

Mi ciudad se llama

....

3

Vivo en una ciudad histórica. Es muy animada porque hay una universidad con estudiantes de todo el mundo. También hay una plaza muy grande y muchas tiendas. Me gusta mi ciudad porque pienso que es interesante.

Vivo en ....

2   Look at the picture. Write a paragraph describing the town and saying why you like it. Use the texts in exercise 1 to help you.

....

....

....

....

....

....

¡2! ¿Qué haces en la ciudad (pages 100–101)

1 Look at the times on the clock faces. Write out the correct time for each clock.

1 Es la una y cuarto.

4 ....

2 ....

5 ....

3 ....

6 ....

2 Look at the pictures and read what Alicia does during her day. Write the times.

> Los sábados estoy muy ocupada. Primero a las nueve de la mañana voy al parque y juego al baloncesto porque soy muy deportista. Luego, voy de compras con mi hermana a las once y media. Vamos al mercado y a las tiendas. A las dos y veinte vamos a la cafetería y tomamos un bocadillo. Por la tarde a las cuatro salgo con mis amigos. A las cuatro y veinte siempre vamos a la bolera. Después, a las cinco y media vamos al cine. A las siete voy de paseo con mi familia. A las nueve menos veinticinco voy a casa, cenamos y luego ¡no hago nada!

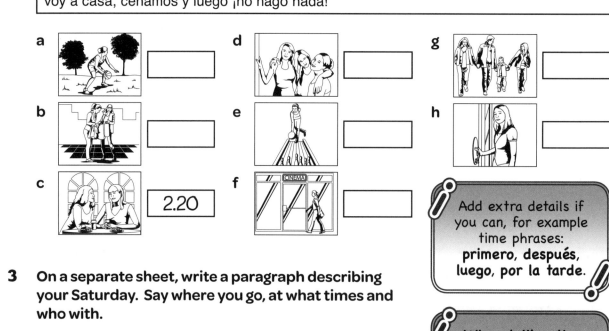

a

d

g

b

e

h

c   2.20

f

> Add extra details if you can, for example time phrases: **primero, después, luego, por la tarde.**

3 On a separate sheet, write a paragraph describing your Saturday. Say where you go, at what times and who with.

....

....

....

....

....

....

> When telling the time, remember:
>
> **y**   past
> **menos**   to
> **cuarto** a quarter
> **media**   half
> **es**   it's (for 1 o'clock)
> **son**   it's (for 2 to 12 o'clock)

3! En la cafetería (pages 102–103)

1 Read the menu. Look at the prices charged and the requests (1–8). Fill in the gaps with the correct item or price.

Bar de Tapas La Macarena

Bebidas		Raciones	
un café	*1,50 €*	gambas	*6.40 €*
un té	*1,90 €*	jamón	*8.20 €*
una Fanta de limón	*1,95 €*	calamares	*6.30 €*
un batido de chocolate/fresa	*2,25 €*	croquetas	*4.90 €*
un granizado de limón	*2,15 €*	patatas bravas	*3.15 €*
		tortilla	*4.80 €*
		pan con tomate	*2.45 €*

---

1 Quiero ___un té___. Es uno euro noventa.

2 Quiero una Fanta de limón. _____ euro _____.

3 Quiero _____. Son dos euros quince.

4 Quiero una ración de _____. Son seis euros cuarenta.

5 Quiero una ración de calamares. Son _____ euros _____.

6 Quiero una ración de _____. Son cuatro euros noventa.

7 Quiero una ración de patatas bravas. Son _____ euros _____.

8 Quiero una ración de pan con tomate. Son _____ euros _____.

2 Number the lines of this dialogue between two friends and a waiter in the correct order.

☐	A ver... ¿qué quieres, Óscar?	☐	Quiero una ración de croquetas. Y tú, ¿qué quieres?
☐	Son veintisiete euros.		
☐	¿Algo más?	☐	¿Y de beber?
1	Buenos días, ¿qué quieren?	☐	Y yo quiero un café.
☐	¿Cuánto es, por favor?	☐	No, nada más.
☐	Quiero un batido de fresa.	☐	Pues yo quiero una ración de gambas.

3 Now, on a separate sheet, adapt the dialogue in exercise 2 to write your own dialogue. Choose from the menu in exercise 1. You and your friend are <u>very</u> hungry!

¿Qué vas a hacer? (pages 104–105)

1 What does Margarita do normally? What is she going to do this weekend? Read the sentences and put a ✓ in the correct list.

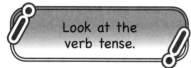

Look at the verb tense.

		normalmente	este fin de semana
1	Voy a salir con mis amigos.		
2	Veo la televisión.		
3	Voy a ir de paseo.		
4	Juego al baloncesto.		
5	Navego por Internet.		
6	Voy a salir con mis amigos.		
7	Voy a hacer los deberes.		
8	Leo un libro.		
9	Voy a ir de compras.		
10	Tomo un batido de fresa.		

2 Read the paragraph about what Tomás will do this weekend. Rewrite it, changing the underlined phrases to write about yourself.

Normalmente, los sábados por la mañana voy al polideportivo. Pero este sábado, voy a ir a la piscina. A mediodía como en casa con mis padres, pero este sábado voy a ir a un bar de tapas con mi tío. Generalmente, los domingos por la tarde hago los deberes, pero este domingo voy a ir al parque con mis amigos. Por la noche navego por Internet pero este fin de semana voy a ir al cine. ¡Va a ser guay!

....

....

....

....

SKILLS! Mi vida en La Habana (pages 108–109)

1 Number the sentences in order of time, starting with the earliest event of the day.

a ☐ A las cuatro salgo con mis amigos.

b ☐ Finalmente, a las siete o siete y media, vamos a una cafetería a tomar una Coca-Cola. Me gusta salir con mis amigos porque son divertidos.

c ☐ Luego voy al parque y juego al fútbol hasta las doce y media.

d ☐1 Normalmente los sábados por la mañana primero hago los deberes.

e ☐ A las cinco o cinco y media vamos a la bolera o vamos al cine.

f ☐ Voy a casa a comer y entre las tres y las cuatro de la tarde veo la tele o leo un libro.

2 Read the texts and complete the table below with the details.

En mi tiempo libre me gusta mucho hacer deporte. Normalmente los sábados por la mañana juego al fútbol o monto en bici. Por la tarde salgo con mis amigos y vamos a la bolera o vamos a la piscina. Los domingos hago los deberes, escucho música y veo la tele. Pero este domingo voy a ver un partido de fútbol en el estadio. ¡Va a ser genial porque me encanta el fútbol! **Jorge**

No me gusta hacer deporte y no me gusta ir de compras. Los sábados chateo con mis amigos, navego por Internet y escucho música. Me encanta la música. Los domingos por la mañana canto en un coro, como en casa y por la tarde veo la tele. Pero este sábado es el cumpleaños de mi hermana. Voy a salir con mi familia a tomar tapas en un restaurante y luego vamos a ir al cine. ¡Va a ser guay! **Catarina**

	normally		this weekend		
	on Saturdays	on Sundays	when?	what?	where?
Jorge					
Catarina					

3 On a separate sheet, write a paragraph about what you do at the weekends.

SKILLS

Make your writing interesting and informative.
- Say when you do things: **normalmente, los sábados, por la mañana, primero**
- Give opinions: **me gusta hacer deporte, me encanta la música**
- Give more details and link information with these words:
  y (and), **o** (or), **pero** (but), **porque** (because)
- Say what you usually do and what you're going to do:
  monto en bici, escucho música, voy a ver un partido de fútbol

1 Complete the conversation with words from the box.

> batido   calamares   fresa   limón   pan   patatas

A: ¿Qué quieres?

B: A ver, quiero una ración de **1** .... bravas.

A: Muy bien. Y yo quiero una ración de **2** .... y **3** .... con tomate también.

B: Y de beber, ¿qué vamos a tomar?

A: Una Fanta de **4** .... para mí.

B: Quiero un **5** .... de chocolate.

A: ¡Buena idea! No voy a tomar la Fanta de limón. Quiero un batido de **6** ....

2 Read the text about a busy day. Put the pictures in the order the activities are mentioned.

a ☐

b ☐

c ☐

d ☐

e ☐

f ☐

g 1

Un día estupendo

A las nueve y media voy al parque a jugar al tenis. A las diez y media voy a una cafetería a tomar una Coca-Cola. Luego, a las doce menos cuarto voy al centro comercial. Después voy a la piscina y a las dos y media voy a casa a comer. Por la tarde voy de paseo con mis amigos y a las seis vamos a la bolera.

3 Choose the correct verb form to complete each sentence.

1 Vivo en una ciudad muy bonita que .... en la costa. **(está/estar)**

2 Hace buen tiempo todo el año. Nunca .... frío. **(hace/hacer)**

3 Me gusta .... a la playa, voy todos los fines de semana. **(voy/ir)**

4 La ciudad .... muchos museos y hay casas antiguas impresionantes. **(tiene/tener)**

5 Me encanta .... en Cartagena porque es una ciudad interesante. **(vivo/vivir)**

<table>
<tr><td colspan="2">

Vivo en Huelva, en el sur de España. Es una ciudad bastante grande que tiene una universidad y muchas tiendas y restaurantes. Hay parques y plazas y hay un teatro impresionante. Tenemos un club de fútbol muy bueno que juega en la Liga.

Vivo con mi familia en un piso moderno y bastante grande. En mi tiempo libro hago natación, juego al voleibol y salgo con mis amigos. Normalmente los fines de semana vamos a la playa o vamos al parque y a veces vamos al cine. Pero este fin de semana vamos a ir a Sevilla porque vamos a ver un partido de fútbol importante entre el Huelva y el Betis. ¡Va a ser genial!

Martín
</td></tr>
</table>

Vivo en una ciudad pequeña de la costa al norte de Barcelona, que se llama Mataró. Aquí tenemos playas, un centro comercial, cines y hoteles. Vivo con mi familia en una casa bastante moderna.

En casa me gusta escuchar música y tocar la guitarra. Normalmente salgo con mis amigos los sábados por la tarde. Vamos al polideportivo, al parque o a la playa. Pero este fin de semana voy a ir a un pueblo que está en el campo con mi familia. Vamos a ir de camping, a montar en bici y también vamos a montar a caballo. ¡Qué ilusión!

Elisa

1 **Read the texts. Then write M (Martín), E (Elisa) or M & E for each of the following.**

Who lives...

1 in the south of Spain? ....

2 near beaches? ....

3 near Barcelona? ....

4 in a house? ....

5 in a flat? ....

6 in a city with a university? ....

2 **Read the texts again and write the activities, in English, in the correct column.**

	usually (present tense)	this weekend (immediate future)
Martín	goes swimming.	
Elisa		

3 **Complete the following sentences so that they are true for you.**

1 Vivo en una ciudad / un pueblo en... que se llama...

2 Es un pueblo / una ciudad bastante... que tiene...

3 Hay... pero no hay...

4 Vivo en un piso / una casa bastante...

5 En mi tiempo libre...

6 Este fin de semana...

¡GRAMÁTICA!

MODULE 5

(pages 112–113)

1 Read the information about two shopping centres in South America. Then complete the descriptions with *un/una, unos/unas* or *muchos/muchas*.

Centro Comercial Abasto
Ciudad: Buenos Aires, Argentina
Tiendas: 250
Restaurantes: 20
Otras atracciones: cine con 12 salas, museo interactivo

Centro Comercial Santafé
Ciudad: Bogotá, Colombia
Tiendas: 485
Restaurantes: 26
Plazas: 6
Cines: 10
Otras atracciones: teatro

En el Centro Comercial Abasto en Buenos Aires hay **1** muchas tiendas y **2** .... restaurantes. Hay **3** .... cine con doce salas y también hay **4** .... museo interactivo.

El Centro Comercial Santafé en Bogotá tiene **5** .... tiendas y **6** .... restaurantes. Hay **7** .... plazas y **8** .... cines. También hay **9** .... teatro.

2 Complete the conversation with the correct parts of the verb *ir*, to go.

A: ¿Qué **1** vas a hacer este fin de semana?

B: Bueno, el sábado por la mañana **2** .... a hacer atletismo.

A: ¿Y el sábado por la tarde?

B: Primero **3** .... a jugar al fútbol.

A: ¿Y luego?

B: Luego **4** .... a ir al cine con Juan y Nuria.

A: ¿Qué **5** .... a ver?

B: **6** .... a ver una comedia romántica.

A: Vale. Y después del cine, ¿ **7** .... a bailar?

B: No, no, ¡qué va! No me gusta nada bailar. **8** .... a tomar unas tapas.

A: Muy bien.

B: ¡Y Juan y Nuria **9** .... a pagar porque es mi cumpleaños!

A: ¡Estupendo!

Record your steps for Module 5.

Listening	I have reached _____ Step in **Listening**.
Speaking ¡Hola!	I have reached _____ Step in **Speaking**.
Reading	I have reached _____ Step in **Reading**.
Writing	I have reached _____ Step in **Writing**.

Look back through your workbook and note down the step you achieved in each skill by the end of each Module.

	Listening	Speaking ¡Hola!	Reading	Writing
1 Mi vida				
2 Mi tiempo libre				
3 Mi insti				
4 Mi familia y mis amigos				
5 Mi ciudad				

You now have a record of your progress in Spanish for the whole year.

¿Qué hay en tu ciudad?   What is there in your town?

Hay...	There is...	una universidad	a university
un castillo	a castle	En...	In...
un centro comercial	a shopping centre	mi barrio	my neighbourhood
un estadio	a stadium	mi ciudad	my town, my city
un mercado	a market	mi pueblo	my village, my town
un museo	a museum	No hay museo.	There isn't a museum.
un parque	a park		
una piscina	a swimming pool	No hay nada.	There's nothing.
una plaza	a square	unos museos	some museums
un polideportivo	a sports centre	unas tiendas	some shops
un restaurante	a restaurant	muchos museos	a lot of museums
una tienda	a shop	muchas tiendas	a lot of shops

¿Te gusta vivir en...?   Do you like living in...?

Me gusta mucho vivir en...	I like living in... a lot.	porque hay/es...	because there is/it is...
No me gusta nada vivir en...	I don't like living in... at all.		

¿Qué hora es?   What time is it?

Es la una.	It's one o'clock.	Son las ocho menos veinte.	It's twenty to eight.
Son las dos.	It's two o'clock.		
Es la una y cinco.	It's five past one.	Son las nueve menos cuarto.	It's quarter to nine.
Son las dos y diez.	It's ten past two.		
Son las tres y cuarto.	It's quarter past three.	Son las diez menos diez.	It's ten to ten.
Son las cuatro y veinte.	It's twenty past four.	Son las once menos cinco.	It's five to eleven.
Son las cinco y veinticinco.	It's twenty-five past five.	Son las doce.	It's twelve o'clock.
Son las seis y media.	It's half past six.	¿A qué hora?	At what time?
Son las siete menos veinticinco.	It's twenty-five to seven.	a la una	at one o'clock
		a las dos	at two o'clock

¿Qué haces en la ciudad?   What do you do in town?

Salgo con mis amigos.	I go out with my friends.	a la cafetería	to the cafeteria
		a la playa	to the beach
Voy...	I go...	de compras	shopping
al cine	to the cinema	de paseo	for a walk
al parque	to the park	No hago nada.	I do nothing.
a la bolera	to the bowling alley		

En la cafetería — In the café

Yo quiero...	I want...	gambas	prawns
bebidas	drinks	jamón	ham
un batido de chocolate/de fresa	a chocolate/ strawberry milkshake	pan con tomate	tomato bread
		patatas bravas	spicy potatoes
un café	a coffee	tortilla	Spanish omelette
una Coca-Cola	a Coca-Cola	¿Algo más?	Anything else?
una Fanta limón	a lemon Fanta	No, nada más.	No, nothing else.
un granizado de limón	an iced lemon drink	¿Y de beber?	And to drink?
un té	a tea	¿Cuánto es, por favor?	How much is it, please?
raciones	snacks		
calamares	squid	Son cinco euros setenta y cinco.	That's 5,75 €.
croquetas	croquettes		

¿Qué vas a hacer? — What are you going to do?

Voy a salir con mis amigos.	I am going to go out with my friends.	Vamos a jugar al voleibol.	We are going to play volleyball.
Vas a ver la televisión.	You are going to watch TV.	Vais a chatear.	You are going to chat.
Va a ir de paseo.	He/She is going to go for a walk.	Van a hacer los deberes.	They are going to do their homework.

¿Cuándo? — When?

este fin de semana	this weekend	luego	then
el sábado por la mañana	on Saturday morning	finalmente	finally
		a las tres de la tarde	at three o'clock in the afternoon
el domingo por la tarde	on Sunday afternoon/evening	(un poco) más tarde	(a little) later
primero	first		

Palabras muy frecuentes — High-frequency words

aquí	here	hasta	until
a ver	let's see	más	more
con	with		

Step descriptors

Listening

1st Step	I can understand some familiar spoken words and phrases.
2nd Step	I can understand a range of familiar spoken phrases and opinions.
3rd Step	I can understand the main points and opinions from short spoken passages using familiar words and phrases.
4th Step	Il can understand the main points and opinions from spoken passages and some of the detail. I can recognise if people are speaking about the future **OR** the present.
5th Step	I can understand opinions, details and reasons in spoken passages. I can recognise if people are speaking about the future **OR** the past as well as the present.

Speaking

¡Hola!

1st Step	I can say single words and short phrases.
2nd Step	I can answer simple questions and give basic information and opinions using familiar words.
3rd Step	I can ask and answer simple questions with opinions. Take part in brief conversations.
4th Step	I can take part in simple conversations speaking about the present or future. Give my opinions with simple reasons. Start to speak spontaneously (e.g. give my opinion without being asked).
5th Step	I can take part in simple conversations on a range of topics. Describe, give information and express my opinions with reasons. Speak spontaneously (e.g. ask unexpected questions). Speak about the future **OR** the past as well as the present.

Step descriptors

Reading

1st Step	I can understand familiar words and phrases. Read them aloud.
2nd Step	I can understand familiar phrases and opinions. Read them aloud.
3rd Step	I can understand the main points and opinions in short written texts using familiar words.
4th Step	I can understand the main points, opinions and some detail in short texts (including simple poems and songs). Use a bilingual dictionary or glossary to look up unfamiliar words. Recognise if the texts are about the future or the present.
5th Step	I can understand the main points, opinions and detail in a range of shorter and longer texts (including poems and songs). Recognise if the texts are about the future **OR** the past as well as the present.

Writing

1st Step	I can write or copy single words correctly.
2nd Step	I can write a few short sentences following a model. Write some familiar words from memory.
3rd Step	I can write several sentences with help, giving information and simple opinions.
4th Step	I can write short texts using language from memory and giving opinions and simple reasons. Write about the present or the future.
5th Step	I can write short texts giving and asking for information, opinions and reasons. Write about the future **OR** the past as well as the present.

Published by Pearson Education Limited, Edinburgh Gate, Harlow, Essex, CM20 2JE.

www.pearsonschoolsandfecolleges.co.uk

Text © Pearson Education Limited 2013
Managed by Tasha Goddard and Penny Fisher
Edited by Sara McKenna
Designed by Pearson Education Limited
Typeset by Jerry Udall
Original illustrations © Pearson Education Limited 2013
Illustrated by KJA Artists and HL Design
Cover design by Pearson Education Limited
Cover photo © Miguel Domínguez Muñoz

First published 2013

17
10 9 8 7

British Library Cataloguing in Publication Data
A catalogue record for this book is available from the British Library

ISBN 978 1 447 94704 2

Printed in Malaysia (CTP–PJB)

Acknowledgements

Every effort has been made to contact copyright holders of material reproduced in
this book. Any omissions will be rectified in subsequent printings if notice is given to
the publishers.

www.pearsonschools.co.uk
myorders@pearson.com

T 0845 630 33 33
F 0845 630 77 77

ISBN 978-1-4479-470

9 781447 9470